€ 13,95

Juist en Tweemeter

Voor mijn zoon, Benjamin,

die me heeft geleerd
dat blijdschap voelt als
witte magie

STICHTING NEDERLANDSE
KINDERJURY
2003

Kjersti Wold
Juist en Tweemeter
© 2000, J.W. Cappelens Forlag, Oslo
© 2002 voor het Nederlandse taalgebied Uitgeverij Clavis, Amsterdam – Hasselt
Vertaald uit het Noors door Kim Snoeijing, verbonden aan het Scandinavisch Vertaal- en
Informatiebureau Nederland
Oorspronkelijke titel: Nettopp Jensen og Tometer'n
Oorspronkelijke uitgever: J.W. Cappelens Forlag, Oslo, 2000
Omslagillustratie: Ilse Loodts
Trefw.: voetbal, oppas, vriendschap, moed
NUR 283
ISBN 90 6822 960 5 – D/2002/4124/053

Dit werk is gepubliceerd met steun van Norwegian Literature Abroad, NORLA.

Juist en Tweemeter

Kjersti Wold

Uitgeverij Clavis, Amsterdam – Hasselt

1

De avond dat ik Tweemeter ontmoette, sneeuwde het zak-
doeken. De sneeuwkristallen waren zo dik dat de rug van
King al na een paar vlokken bijna helemaal bedekt was. Nu
is King niet bepaald een reus, hij is een chihuahua en lijkt
op een opgeblazen handschoen van zeemleer.

Zijn nagels tikten tegen het asfalt terwijl we door de
sneeuwstorm liepen. Het viel nu als een dikke deken naar
beneden, en je zou haast denken dat God hele slalomhellin-
gen sneeuw had verzameld voor hij ze naar beneden
gooide. Nou geloof ik niet meer dat God met emmers water
loopt als het regent, maar net die avond leek het wel alsof de
hemel wit openscheurde. Als ik niet al tien was geweest
(bijna tien en een half), en een dagreis weg van oma die
gelooft dat God alles regelt, dan had ik gedacht dat hij het
was die als een wildeman met een sneeuwkanon in de weer
was.

Het kwam door het weer dat King en ik de straat waren
opgegaan. Normaal blijven we in het indianenlandje, het
bosje bij het flatgebouw waar mevrouw Bolat woont. Zij is
de bazin van King en toen hij acht weken oud was,
smokkelde ze hem in een doos met Deense boterkoekjes
mee naar de vierde verdieping. Er zaten natuurlijk luchtgaten in de doos, maar volgens mij vond King het helemaal
niet leuk en is hij sinds die tijd chagrijnig.

'Hij is zo aristocratisch,' zei mevrouw Bolat altijd. 'De chihuahua is een oude tempelhond, weet je.'

Ik heb meer de indruk dat hij van een fles azijn afstamt, maar misschien word je knorrig als je verborgen wordt gehouden. In haar appartementsgebouw is het verboden om grote huisdieren te houden, en de conciërge heeft al een paar katten op straat gezet. Gelukkig voor mij moet mevrouw Bolat er niet aan denken om met een parkiet samen te wonen. Elke keer dat ik de hond uitlaat, krijg ik twintig kronen, plus chocola voor en na.

Die avond nam ik hem meteen mee de stoep op. Op een vreemde manier voelde ik me beschermd door de sneeuwbui. Gek is dat met sneeuw, het lijkt wel alsof daardoor de wereld in katoen wordt ingepakt en de dingen niet meer zo gevaarlijk zijn. Ik durfde zelfs langs het winkelcentrum te lopen, ook al bestond de kans dat Patrick the hattrick daar stond en me zou uitschelden

Er viel geen mens te bekennen. De bloemenwinkel lag in een halfgroen aquariumlicht te slapen en achter de ramen van café Meny waren de tralies dichtgetrokken. Dat deed denken aan een beugel, en ik bleef staan en dacht aan mijn hoektanden. Maar goed dat ze nu eindelijk doorkwamen. Ik was de laatste van de klas die hoektanden kreeg, ja, ook van de parallelklas, ik had iedereen in de mond gekeken zonder dat ze het merkten. Wat ik deed, noemde papa statistiek. Helaas scoorde ik het slechtst van iedereen op de hoektandenstatistiek.

'Hé, hallo!' hoorde ik opeens. 'Kun je me even een tand geven!'

Bij de lantaarnpaal stond een lange man tegen mij te roepen.

Allemachtig! Wat was dat voor type? Ik tuurde door de sneeuwstorm. Hij had oren als een bloedhond, ze hingen naar beneden. En wat moest hij met een tand? Ik trok King aan zijn riem, want ook al was hij de kleinste hond van de wereld, hij was fel en kon gegarandeerd een been in stukken scheuren als mijn leven op het spel zou staan.

'Kun je me even een hand geven!' riep de man weer.

Een hand! Ja, dat was andere koek. 'Kom, King,' zei ik en slenterde naar de lange toe. Hij zag er helemaal niet meer zo merkwaardig uit. Nu zag ik dat de bloedhondoren eigenlijk de hangende flappen van een bruine wollen muts waren.

'Kun je die vasthouden?' vroeg de man en gaf me een rol losse papieren.

Mama had me op het hart gedrukt dat ik nooit met een vreemde mee mocht gaan, vooral niet met mannen, ook al gaven ze me snoepjes of voetbalkaarten. Maar een rol papier vasthouden was toch heel iets anders dan met iemand meegaan.

De man had een emmer bij zich. BEHANGPLAKSEL, stond op de zijkant.

'Shit!' mompelde hij toen hij een poging deed om de emmer te openen. 'Shit nog aan toe.'

De sneeuw lag als een witte helm over zijn wollen muts. Moeilijk te zeggen hoe oud hij was, maar hij had vast al een rijbewijs. Net op het moment dat het deksel losging, vloog hij een paar passen achteruit. 'Getver!' zei hij behoorlijk luid.

Vanonder de rand van zijn muts keek hij naar mij.

'Sorry, maar ik kan niet tegen sneeuw. Ook niet tegen lijm. Ik had beter een nietmachine mee kunnen nemen.'

Ik begreep niet wat hij met lijm in een sneeuwbui moest.

'Ik ga naar een feest,' zei hij en pakte een kwast uit een plastic tas die vol witte smurrie leek te zitten. 'En mijn vriendin zal me vast vragen of ik dit nu eindelijk gedaan heb.'

Hij begon lijm aan de lantaarnpaal te smeren. 'En omdat ik dit drie maanden geleden al had moeten doen, dacht ik dat ik vanavond...'

Hij keek omhoog naar de lamp, waar de sneeuw dwarrelde als veertjes uit een gescheurd kussen. 'Wat een pech. Mijn aanplakbiljetten worden drijfnat.'

Het was niet echt een aanplakbiljet. Het leek meer op een groot notitieblaadje. *Vertrouwd adres - oppasdienst*, stond er. *24 uur per dag. Goede referenties. Bel 22 38 51 84.*

'Ben jíj dat?' vroeg ik.

'Jep,' zei de lange en streek het papier met zijn handen glad. De onderkant was in strookjes geknipt en op elk strookje stond het telefoonnummer in piepkleine cijfertjes geschreven.

'Trouwens, bedankt voor je hulp...'

Hij keek me aan alsof hij verwachtte dat ik mijn naam zou noemen.

'Juist,' zei ik.

De lange glimlachte. 'Wat zei je?'

'Juist Jensen.'

Zijn glimlach werd nog groter en in zijn ooghoeken verschenen kleine waaiertjes van rimpels.

'Jij bent me een grapjas, jonge broeder.'

'Nee,' zei ik. 'Dat is mijn naam, Juist Jensen.'

'Arrejakkes. Naar wie ben je dan vernoemd?'

'Naar een telefoongesprek,' zei ik.

De lange lachte, en toen zag ik dat zijn ogen glansden. Hij had donkerbruine, niet zulke heel grote ogen. Als een eekhoorn, dacht ik, vol glans. Het zou mooi zijn als ik hem nog een keer kon laten lachen. 'Tussen mama en haar oude baas,' legde ik uit. 'De man voor wie ze zo bang was. Elke keer als hij belde, zei ze alleen maar juist, juist, juist.'

Ik lachte ook. 'Ik raakte zo gewend aan "juist" dat ik dacht dat ik me net zo goed zo kon noemen.'

Dat was niet helemaal waar, maar ook al zag de lange er vriendelijk uit, ik had geen zin om te vertellen hoe het precies in elkaar stak. Dat ik had geprobeerd om een ander, een nieuw iemand te worden. Iemand met een toffe naam, die de anderen in de klas gaaf vonden.

De man met de lijmemmer ging op zijn hurken zitten. Hij keek me aan, maar zei niets. Het leek wel alsof hij een langzame röntgenfoto van iets in mijn binnenste nam. Het deed geen pijn, het prikte zelfs niet, nee, het voelde haast als een warmte in mijn borst. Hij vindt me aardig, dacht ik ineens. Kon dat kloppen? Vond hij mij aardig en bleef hij daarom op zijn hurken zitten?

'Tweemeter,' zei hij en stak zijn hand uit.

'Heet je zo?' vroeg ik.

'Ja, waarom niet. Ik ben twee komma nul nul meter.'

'Op de millimeter!'

Ik was totaal verbluft. Hoe had hij dat klaargespeeld?

Precies afgerond. Het was bijna net zo mooi als op oude-jaarsavond 2000 om nul nul uur geboren te worden. Maar Tweemeter zei dat al zijn centimeters zichzelf hadden ge-maakt. Het enige wat hij moest doen was de juiste hoeveel-heid warm eten naar binnen werken, en niet vergeten om na het gymmen zijn spieren te strekken.

Hij richtte zich in zijn volle lengte op. 'Maar nu moet ik er snel vandoor,' zei hij. 'Bedankt voor je hulp, Juist Jensen, mijn handlanger in de sneeuw.'

Ik kreeg opeens zin om met hem mee te gaan naar de volgende lantaarnpaal. En dan weer naar de volgende. Ja, ik had wel door een heel woud van lantaarnpalen kunnen lopen als dat nodig was.

'Het beste,' zei Tweemeter en glimlachte met al zijn waaier-rimpels.

'Ja, het beste,' zei ik en liep snel in de tegenovergestelde richting. Het mocht niet lijken alsof ik achter hem aanliep. Of erger nog, dat ik hem stond na te kijken. Nee, het is belangrijk dat je eruitziet alsof je het druk hebt, want dan denkt iedereen dat je populair bent.

Ik liep zo snel dat King me haast niet kon bijbenen. Zijn pootjes zijn zo mager als Chinese eetstokjes, en hij houdt helemaal niet van joggen. Zo nu en dan gluurde King naar me, en leek hij op een oude graaf die last had van maagzuur en die gedwongen werd om te spurten terwijl hij het liefst gewoon wilde wandelen.

Bij de inrit van café Meny hield ik halt en hapte naar adem, terwijl ik vier keer tot honderd telde. Nu zijn er min-stens vijf minuten voorbij, zei ik tegen mezelf en stapte terug door de sneeuw. Bij de lantaarnpaal raakten onze sporen weer vol met verse, witte sneeuwvlokken.

Zijn afdrukken waren zo groot als aanlegsteigers en die van mij hadden meer de afmeting van een aanstaande prof-speler in de Engelse voetbalcompetitie. Maar de sporen wezen in elkaars richting, schoenpunt tegen schoenpunt, alsof ze wilden zeggen: hé, zullen we spelen?

Ik rekte me uit langs de paal en scheurde er een strookje met het telefoonnummer af.

2

De volgende ochtend ging de sneeuw over in regen. Een stortvloed aan water, ik had bijna ruitenwissers op mijn ogen nodig. De sneeuw was volledig veranderd, het goot, drupte, spetterde en stroomde om me heen. De weg naar school begon op een nieuwe Amazone te lijken, in elk geval was een van de modderpoelen zo groot dat je er je zwemdiploma in kon halen.

Toen ik bij de lantaarnpaal aankwam die Tweemeter en mij bij elkaar had gebracht, zag ik zijn notitieblaadje doornat en triest in de stromende regen hangen. Alleen mijn strookje was weg. Het was verre van mooi, de sliert met strookjes leek op een rij tanden met helemaal rechte en regelmatige tanden, maar in het midden zat een gapend gat van een verdwenen voortand. Snel scheurde ik ook de andere strookjes eraf. Tweemeter was vast blij als hij dit zou zien, en ik zou hem immers bellen, ik zou alle telefoonnummers in mijn oude speeltrompet verstoppen, en als de tijd rijp was zou ik ze er in een saluut uitblazen en eisen dat Tweemeter mijn oppas werd.

Voor de school stonden een heleboel auto's en ouders liepen rond onder paraplu's, terwijl de zangertjes uit de eerste klas in lange, witte herenoverhemden en met glitterkroontjes om hun hoofd door de regen holden.

Was het echt 13 december, de dag van Santa Lucia? Nog

maar elf dagen tot kerst.

Ik liep het schoolplein op en keek naar alle kanten. Geen Patrick the hattrick of anderen van zijn bende?

Toch wel, verdorie. Ik zag hem met twee jongens uit klas zeven komen aanslenteren. De capuchon van zijn trui zat over zijn hoofd, maar hij droeg geen regenjas. Ik liep de andere kant op, oef, wat voelde ik me kinderachtig in mijn regenbroek. Een oliepak! Bah, waarom had ik ook naar mama geluisterd, het was veel stoerder om met plakkende, natte spijkerbroekspijpen op school te komen. Nu leek het immers alsof ik op het punt stond om zandtaartjes te bakken. Ik moest alleen nog een emmer en schop hebben, en een kleuterschooljuf die zong: 'Lekker zoete koekjes bakken en ze dopen in...'

'Wacht!' riep een meisje achter me. 'Papa, niet zo snel!'

Eén van de Luciameisjes sjokte achter een man aan die een jas over zijn hoofd had. Ze volgde hem zo goed ze kon, maar struikelde bijna over de lange hemdpanden. Alleen de eersteklassers mochten met kaarsen en krakelingen door de school lopen en over Santa Lucia zingen...

Ik wierp een blik achter me. Patrick the hattrick, de beste van de klas op het gebied van voetbal en pesten, was op weg naar de gymzaal. We hadden het eerste uur toch geen gymnastiek? Nee, het was vast iemand uit klas zeven die ergens achteraf stiekem wilde roken. O, ging Patrick the hattrick nu maar de gymzaal binnen om zich aan een touw op te hangen. Op zijn minst een beetje ophangen, zodat hij slap en bleek werd en niemand meer kon plagen. Hij mocht best een beetje een slappeling worden, zodat hij tijdens een wedstrijd geen drie doelpunten achter elkaar meer kon scoren, een hattrick dus. Dan zou ik misschien ook wel op voetbal durven. En dat moest ik binnenkort, anders zou mijn prof-carrière wel eens de mist in kunnen gaan.

'Oeoeaa!' hoorde ik ergens voor me, en daar lag de kleine Lucia in de waterpoel te spartelen. Haar vader zag het niet, hij liep nog steeds met zijn jas als een dak boven zijn hoofd in de richting van de school.

'Ik ben nat!' De tranen stroomden uit haar ogen, zo'n gegrien had ik nog nooit gezien. Ze stond al weer overeind, maar de lange, witte hemdsmouwen waren afgerold en sleepten over de grond. De glitterkroon was naar beneden gegleden en hing aan de ene kant in haar haar. Ze leek op een nat vogelverschrikkertje, dat niemand voor de winter had binnengehaald.

'Het geeft niets,' zei ik. Ik wist hoe het was om nat te wor-den. 'Er is vast ook wel een handdroger in het meisjestoilet. Je weet wel, zo eentje waar warme lucht uit komt. Ga daar maar onder staan.'

Het meisje keek me verschrikt aan. Ze vergat helemaal te huilen. Maar toen herinnerde ze het zich weer. 'Oeoeaa,' brulde ze en rende achter haar vader aan.

Het eerste uur kregen we te horen dat Truus, onze onder-wijzeres, ziek was, en dat we een invaller zouden krijgen. Het hart zonk me in de schoenen. Een invaller? Nee, alsje-blieft niet. Liever tien grammaticaproefwerken en zeventig rekensommen dan een invaller.

Truus weet namelijk hoe ze Patrick the hattrick moet

aanpakken, ze weet dat hij gemeen is, vooral tegen mij, daarover hebben mama en papa met haar gepraat. Truus stuurt hem de gang op of naar de rector als hij het toch probeert. Ja, het hele jaar door draagt ze joggingschoenen, in regen en storm en sneeuwbuien draagt ze haar blauwwitte Nike-joggingschoenen en ze is bikkelhard. Wat stelt een invaller dan voor? Sjofele slippers en een zachtgekookt eitje. Lieve God, smeekte ik, laat deze schooldag snel voorbijgaan.

'Ik hoop dat jullie je netjes gedragen,' zei de invalster, en het leek alsof ze daaraan twijfelde. 'Het is nog geen kerstvakantie,' mompelde ze en opende de gele agenda.

Ik had haar eerder gezien. Ze had hoog opgestoken haar dat de hele tijd naar beneden dreigde te vallen. Daarnaast droeg ze een bril en sieraden, oorbellen, een sjaaltje en een heleboel blouses en truien over elkaar heen, je zou haast denken dat ze dit allemaal als een omheining gebruikte waarachter ze zich kon verbergen.

'We zullen eerst eens kijken wie er allemaal zijn,' zei ze en ging achter de lessenaar staan.

Zoals gewoonlijk was ik nummer elf. 'Bernhard Jensen,' zei ze en tuurde over haar brillenglazen.

'Juist!' riep iemand achter me, vast en zeker Ben.

De invalster keek nog verder over haar bril. 'Ben jíj Bernhard?'

'Nee,' werd er achter me gegniffeld. 'Dat is hij daar. Hij noemt zich Juist Jensen.'

De invalster keek alsof ze water zag branden, of iets anders wat normaal gesproken geen vlam vat. 'Daar!' zei ze en haalde diep adem, 'kan ik geen rekening mee houden.'

Ze deed een stap achteruit, alsof ze op precies dezelfde plek moest gaan staan als waar ze met het noemen van de eerste naam was begonnen. 'Bernhard Jensen?' zei ze en keek op precies dezelfde manier over haar bril heen.

'Ja,' zei ik en voelde me allerbelabberdst. Het was alsof mijn ogen zwaar werden en over mijn gezicht naar beneden zakten. Mijn haar was niet langer blond en steil, maar bruin en wollig. Volledig tegen mijn eigen wil in zat ik op mijn stoel en voelde me meer en meer een sint-bernard, zwaar en log met hangende ogen, nu had Patrick the hattrick vrij baan.

Het hondengevoel zakte in mijn buik en toen de eersteklassers binnenkwamen met Lucia-gezang en op krakelingen trakteerden, stopte ik het gelige, kronkelige koekje meteen in mijn tas. Ik kon geen hap door mijn keel krijgen. Zo meteen zou de trammelant beginnen.

Vlak nadat de bel was gegaan, begon het. Ik probeerde de gang op te sluipen, maar Patrick the hattrick was sneller dan ik. Hij versperde me de weg.

'Wat vind je ervan om even uitgelaten te worden?' vroeg hij en hield een lange sjaal voor mijn gezicht. 'Misschien moet de sint-bernard even zijn poten strekken?'

Vier, vijf jongens uit de klas stonden om ons heen te lachen. Natuurlijk lachten ze. Bijna iedereen lacht als Patrick begint. Het moet immers lollig zijn. Maar voor mij is er niets lolligs aan. Ik lach niet als hij mijn muts onder de kraan houdt en hem als spons gebruikt. Ik krijg ook geen lachkrampen als hij mijn gymtas in de toiletpot stopt en zegt dat het een zak met stinkende hondenstront is. Kon ik hem maar aan flarden scheuren. Hem een trap verkopen. Die grijns met die enorme spleet tussen zijn voortanden wegschoppen.

'Ga opzij!' zei ik. Dat had een uitdaging, een dreigement, een mes op zijn keel moeten zijn, maar in plaats daarvan was het niet meer dan een piepgeluidje.

'Niet goed gehoord,' zei Patrick, dichterbij komend. 'Zei je riem? Wil je naar buiten?'

Hij keek grijnzend naar de anderen. 'Dan moeten we maar doen wat hij zegt, jongens. Hou hem vast!'

Ze kwamen van alle kanten en ik voelde hoe hun vingers zich in mijn bovenarmen drukten. Nee! Ik verzette me uit alle macht. Ik wist wat er komen zou: de sjaal als een lus om mijn nek, om daarna als een hond over het schoolplein te worden gevoerd.

'Nee!' riep ik en wrong me in alle bochten. Was mijn lichaam maar groter geweest, waren mijn armen maar langer geweest, mijn schedel harder. Ik sloeg met mijn hoofd, zette mijn benen schrap. Was ik maar prof en top-scorer in Engeland geweest. 'Stop!' riep ik. 'Hou op!'

'Hé, hallo!'

Achter me hoorde ik een man. De handen die me vasthielden, ontspanden zich meteen. Was het de conciërge? Was het een onderwijzer? Was ik gered?

'Wat is hier aan de hand?'

De jongens weken achteruit, een aantal deed een paar passen in de richting van de uitgang. Ja, ik was gered. Het was een van de oudere onderwijzers, die altijd voorovergebogen liep met papieren en boeken onder zijn arm.

Patrick the hattrick sloeg de sjaal om zijn eigen nek. 'We dollen maar een beetje,' zei hij.

'Het is pauze,' bromde de onderwijzer. 'Vooruit, naar buiten!'

3

Die avond voerde ik een kleine meting uit. Ik moest controleren of ik gegroeid was sinds de vorige keer. Toen ik klein was, hielp papa me door een broodplank op mijn hoofd te leggen en een potloodstreep op de deurpost te zetten. Maar sinds we drie jaar geleden naar Oslo verhuisden en een eigen huis met mooi gelakte deurposten kregen, doe ik het zelf. De techniek is simpel: ik druk me tegen de muur van mijn kamer omhoog, tegen een meetstok met een aantal heel kinderlijke beren erop. Die beren kunnen me niets schelen; ik ga staan, stevig tegen de meetstok aan. Dan pak ik een boek in mijn ene hand en een flesje met witte correctielak die ik van mama heb gepakt, in de andere. Ik sjoemel niet, ik zweer het. Ik leg het boek plat op mijn hoofd, trek pijlsnel een wit streepje met de correctielak, bekijk het en veeg het weg.

Als ik wegdroom, stolt de correctielak, maar dan kan ik hem met mijn nagels of met het dunne mesje in mijn potloodslijper wegschrapen.

Het is namelijk belangrijk dat mama en papa niet zien dat ik met metingen bezig ben. Ze kopen allerlei vitaminen en voedingssupplementen voor me via postorders uit de VS. Het is duidelijk dat ze graag willen dat ik groei, en elke keer als ik naar de meetstok loop, denk ik: please, laat me meer dan één veertig zijn.

Maar nee hoor. Eén drieëndertig. Slechts een halve centimeter meer dan de vorige keer. Of een kwart. Dan zit er in ieder geval geen doping in de tabletten uit de VS, dacht ik. Geen spoor van anabole steroïden, zodat ik de eerste met een snor in de klas zou worden. Nee, bekijk het maar. Liever snorloos dan gediskwalificeerd wegens dopingmisbruik. Als ik prof word, kan dat mijn carrière ruïneren. Het is van belang om ver vooruit te denken.

Maar één drieëndertig!

Ik ben als een eik, troostte ik mezelf. Mevrouw Bolat heeft gezegd dat de eik zo sterk is omdat hij zo langzaam groeit. Bijna tien en een half jaar en één drieëndertig lang zijn hoefde immers niet te betekenen dat ik als volwassene ook klein zou zijn. Waarschijnlijk betekende dat alleen maar dat ik wat langzaam groeide, maar dat ik in plaats daarvan ongelooflijk sterke spieren zal hebben als ik zestien ben. En je hoeft trouwens geen twee meter te zijn om een goede voetballer te worden.

Twee meter? Opeens dacht ik aan Tweemeter. Werkte hij echt als oppas voor iedereen die belde? Op ieder tijdstip, 24 uur per dag? Was dát een oppasdienst? Dat hij razendsnel als een soort werkplaats op wielen kwam aanzetten en onderhoud uitvoerde op wie hij moest passen? Draai, krik en schroef, en hopla, dan konden ze verder door het leven, vlotjes en zonder motorpech? Dat zou me wat zijn! Volledige revisie. En olieverversing. En een heleboel nieuwe bougies. Ik moest mama en papa vragen of ze binnenkort niet op reis gingen.

Ik ging de woonkamer binnen waar mama op de bank lag te lezen.

'Wat is eigenlijk een bougie?' vroeg ik.

'Eeeeeehhh,' zei mama en ze klonk alsof ze helemaal in het boek verdronk. 'Papa,' bubbelde ze.

'Is papa een bougie?'

'Vraag hem maar,' zei mama een beetje moedeloos. 'Het is iets in een motor, Bernhard.'

'Juist,' zei ik.

Mama keek op. 'Waarom vraag je het als je het wel weet?'

'Ik bedoelde mijn naam.'

Mama zag eruit alsof ze ergens in het heelal rondzweefde. Haar gezicht zet altijd op als ze iets niet begrijpt. Dan wordt ze het mamaatje in de maan en lijkt ze op een kaas.

'Ik heb gezegd dat jullie me Juist moeten noemen,' zei ik geïrriteerd.

Toen werd mama ook geïrriteerd. 'Dat weet ik,' zei ze, en stak een vinger als boekenlegger tussen de bladzijden. 'Maar ik vergeet het. Had je niets anders kunnen bedenken? Een gemakkelijker naam.'

'Is Juist soms niet gemakkelijk! Het weegt nog geen drie gram. Bernhard is twee ton schoon aan de haak!!'

'Je hoeft niet te schreeuwen,' zei mama. 'Bovendien weet je best wat ik bedoel: Bernhard is een klassieke, mooie naam die je op de hele wereld kunt gebruiken.'

Op de hele wereld. Ik hoefde alleen maar een naam die het op school goed deed. 'Het moet één duidelijke klemtoon hebben,' wist ik alleen maar te zeggen. 'Ik wil een naam met kracht en een duidelijke klemtoon.'

Toen stelde mama Jan voor!

En meteen daarna iets wat nog veel erger was.

'Of wat vind je van alleen maar B?' vroeg ze. 'Ik ken iemand die H.P. heet.'

B! Alleen B. Dat zou in het Engels als Bie worden uitgesproken, dat kon dus niet. Ik moest immers met de toekomst rekening houden. Als ik prof word, moet ik natuurlijk een eigen fanclub hebben. Juist Jensens fanclub, waar de meisjes foto's van zichzelf naartoe kunnen sturen, 's zomers in bikini en 's winters in negligé.

'Waarom geen H.B.?' hinnikte papa vanuit zijn kantoortje. Hij had zoals gewoonlijk de deur open en hoorde alles. 'Of nog beter, B.H.!'

Ik vond dat helemaal niet leuk. Het ergste was nog wel dat ik nu helemaal vergeten was wat ik wilde vragen. Ik was de woonkamer niet binnengekomen om over bougies te praten. Het ging om iets anders. Iets belangrijks. Maar wat?

'Nu drijf je de spot met hem,' zei mama tegen papa.

De spot drijven? Dat klonk serieus en papa stak meteen zijn hoofd om de hoek van de kantoordeur. 'Heb je dan geen gevoel voor humor?' zei hij tegen mama en toen begon het gedonder: mama ruziede met papa omdat hij mij niet begreep, en papa ruziede met mama omdat ze nooit tegen een grapje kon, en ik ruziede met allebei omdat ze niet begrepen dat een naam van levensbelang is als je niet gepest wilt worden. Was het niet stom om je Jan te noemen als je Bernhard heet, dan! Of BH? Wie wil er nu zeggen hallo, mijn naam is Bustehouder, hoe gaat het met jou?

'Stop!' riep ik en ik stormde de trap weer op. Verdorie,

wat was ik jaloers op mevrouw Bolat. Stel je voor dat je met een hond samenwoont, dan is er nooit ruzie of geschreeuw, alleen maar aaien en vertroetelen en zo af en toe een gedroogd varkensoor als snack. JUIST JENSEN, schreef ik op een stuk papier met de grootste viltstift die ik had en plakte het op de deur met een oud stukje kauwgom waarop ik eerst weer moest kauwen om het zacht te krijgen.

En precies op het moment dat ik het vel papier met mijn hand gladstreek, herinnerde ik me de handen die over de lantaarnpaal streken. Natuurlijk, Tweemeter. Híj had op het puntje van mijn tong gelegen.

'Ik wil een nieuwe oppas!' riep ik naar de begane grond. Maar daar duurde de ruzie voort. Mama zei dat papa vierkant was. En papa vond mama driehoekig. Zo klonk het. Nu ontbrak het er nog maar aan dat ze naar elkaar wezen en zeiden: 'Jij bent een stoomwals.'

'Hou er nou mee op,' riep ik, maar ze waren zo druk bezig dat ze me niet hoorden.

Ik slenterde terug naar mijn kamer. Wat een gedoe. Ik moest het morgen nog maar eens proberen.

'Een nieuwe oppas?' vroeg mama de volgende dag. 'Waarom? We hebben Marianne toch.'

'Dat is een stofdoek,' zei ik.

'Dat is niet aardig,' zei mama. 'Marianne is precies en proper, een beetje van de oude stempel.'

Ik wist niet helemaal wat de oude stempel betekende, maar oud was ze in elk geval wel. Stokoud. Haast dood. 'Ze heeft een tik van de molen,' zei ik. 'Ze praat met geesten.'

'Wat?' riep mama, en ik zag dat ze een beetje schrok. 'Hou op. Er zijn hier geen geesten, dit huis is in de jaren zeventig gebouwd.'

'Alsof geesten zich daar iets van aantrekken!' zei ik. Vlak onder ons kan wel een nederzetting uit het stenen tijdperk hebben gestaan, en die zielen kunnen nog wel ronddwalen.'

'Wat een onzin,' zei mama. 'Brengt die bijgelovige mevrouw Bolat je op dat soort gedachten?'

Dat was zo. Maar het was volgens mij niet erg slim om dat nu toe te geven, nu ik zo druk bezig was om Marianne de deur uit te werken. Het was duidelijk dat ze niet te vertrouwen was. 'Ze loopt in het rond en zegt "hoppa" bij zichzelf,' zei ik. 'Zomaar in het niets. Dan moet er toch wel een draadje los zitten.'

Mama kreeg denkrimpels op haar voorhoofd. Ze twijfelde. Nu stelde ze zich vast voor hoe die hersendode Marianne, die vroeger telefoniste was op papa's werk, als een zombie door het huis liep en de gordijnen in de brand stak, terwijl ze kushandjes wierp naar een spook met een stenen bijl.

'Nee,' zei mama en ze stond op. 'Ik vind dat Marianne het prima doet, en bovendien denk ik dat haar werk als oppas haar pensioentje een beetje aanvult.'

'Stel je voor dat je me als een gegrilde worst terugvindt,' ging ik door, maar mama was niet geïnteresseerd om te horen hoe afschuwelijk het zou zijn als ze om twee uur 's nachts thuis zou komen van het kerstbuffet en het huis terug zou vinden als een hoop as met Marianne en mij daar middenin. Goed doorbakken met roet en een korst en alles.

Stel je voor, nog niet eens tien en een half is hij geworden.

Dat was toch om te huilen. Maar mama hield voet bij stuk. 'Beschouw Marianne maar als reserveoma,' zei ze, maar toen kreeg ik haast de kroep. 'Nooit,' zei ik, en dacht aan mijn ene oma die dood was, en aan mijn andere oma die ver weg in West-Noorwegen woonde. Ik had geen reserveoma nodig, ik had iemand nodig die aardige eekhoornogen had en twee komma nul nul meter was.

Mama en papa hadden in de dagen voor kerst een kerstbuffet en twee stokvisparty's. Ik had alleen Marianne en gebakken vissticks. Ik probeerde met haar over geesten en spoken te praten, maar Marianne zei dat ze daar geen verstand van had en ging stofzuigen. Ik had de hoop op een andere oppas al bijna opgegeven, toen het vlak na nieuwjaar ging ijzelen. De ijzel vlijde zich als een glanzend zwaard op de stoep, en toen er verse poedersneeuw viel, begon het feest pas goed. De mensen gleden uit, struikelden en vielen op hun gezicht. Vloekten en scholden. Marianne liep op vooroorlogse ijskrappen, met voorzichtige muizenpasjes om niet te vallen. Dat vertelde ze na afloop. Ze had bijna niet naar buiten durven te gaan, maar vertrouwde op haar krappen. Maar wat hielp dat toen een man van tweehonderd kilo vlak voor een supermarkt de lucht in vloog en Marianne in de vlucht meenam. Gelukkig voor haar landden ze apart, maar Marianne kwam eerst met haar pols op de grond terecht. Waarschijnlijk kraakte en barstte het in de arm van de oude telefoniste toen de pols op drie plaatsen brak, in ieder geval moest ze meteen naar het academisch ziekenhuis.

Een verpleegkundige belde vlak daarna dat Marianne in het gips zat. 'O nee!' hoorde ik mama zeggen. Papa en zij waren druk bezig hun koffers te pakken om met een paar vrienden naar Kopenhagen te vertrekken.

Ik begreep dat de tijd rijp was. Ik vulde mijn longen en blies uit alle macht op de speeltrompet. De antwoordstrookjes met het telefoonnummer erop wervelden eruit. Alle cijfers stonden er nog op. Nu hoefden ze alleen maar te bellen.

'Verwacht niet te veel,' zei mama en toetste de nummers in op het mobieltje. 'Ik laat niet zomaar een vreemde man mijn huis binnen.'

'Toe nou, alsjeblieft,' smeekte ik.

Mama liep heen en weer in een jurk waarvan de rits aan de achterkant nog open was. Die glinsterde als een gouden V in het licht van de slaapkamerlamp. Als ze dan beslist op reis moesten, konden ze me minstens een oppas geven die ik aardig vond.

'Hij is twee meter,' zei ik.

'Sst!' zei mama en meteen daarna hoorde ik een stem aan de andere kant. 'Spreek ik met Vertrouwd Adres - oppasdienst?' vroeg mama, en grabbelde in haar handtas naar een pen. 'We hebben onmiddellijk een oppas nodig. Heb je referenties? Een paar telefoonnummers die ik kan bellen?'

O nee. Referenties. Dat kon wel eens heel lang gaan duren. 'Jullie komen te laat!' riep ik. 'De boot gaat over drie kwartier!'

'Heb je nog meer?' vroeg mama terwijl ze het telefoonnummer achter op een envelop krabbelde.

Waarom hield ze niet op met dat gezeur, en zei ze niet: Welkom. Hopelijk hebben jullie een gezellig weekend met elkaar.

Maar nee hoor. Mama begon aan een volledige belronde. Onder het bellen maakte ze zich op, pakte nog een paar dingen in en liet papa de rits op haar rug dichttrekken. 'Met wie is ze aan de praat?' vroeg ik papa.

'Anderen die deze man als oppas hebben gevraagd,' antwoordde hij.

Maar moest dat zo afschuwelijk lang duren!

Ten slotte kwam ze bij twee artsen met vijf kinderen terecht. 'De kinderen zijn enthousiast,' hoorde ik een vrouwenstem zeggen. 'Hij is voor honderd procent te vertrouwen.'

Mama legde haar mobieltje weg om lippenstift aan te brengen. 'Het is in orde,' zei ze en wreef de lippen op elkaar. 'Nu zal ik hem bellen en vragen om te komen.'

Jippie!

Eerst sprong mijn hart op van vreugde. Maar toen begon ik opeens te twijfelen. Als ik het nu eens mis had? Toen ik hem in de sneeuwbui ontmoette, leek het zo'n leuke vent, maar als het bij ons thuis nu eens anders zou zijn... Ik keek naar de rode zijden voering in mama's koffer. Plotseling wenste ik dat ik erin kon kruipen en in gladde, naar zeep ruikende stof werd gehuld. Ik kon daarbinnen volkomen rustig liggen en op het ritme van de boot meedeinen. 'Mag ik mee?' ontglipte me.

Mama ging op de rand van het tweepersoonsbed zitten. 'Jongen toch,' zei ze teder. 'Het is alleen voor grote mensen.'

Ze keek naar papa. 'Wat vind jij? Zullen we het toch maar afzeggen?'

'Nee,' zei ik snel. Ik zag voor me hoe Tweemeter al onderweg was. Nu liep hij vast met grote zevenmijlslaarsstappen, ongeveer net zo als Baron von Münchhausen op zijn kanonskogel. Zou hij me kunnen helpen? Ik had het gevoel van wel.

4

Tweemeter kwam natuurlijk niet aangevlogen. Hij sprong uit de taxi, die op mama en papa bleef staan wachten.

'Hallo,' zei hij, en schoot met twee plastic zakken en een volgepropt dekbedovertrek het portaal binnen. 'Jou heb ik eerder gezien.'

Hij bleef staan. 'Eens even zien... Heet jij geen Inderdaad?'

'Juist,' zei ik lachend.

Tweemeter haalde zijn hand door mijn haar en lachte. 'Ja, dat was het.'

Ik voelde een rilling in mijn haarwortels, heerlijk. Het leek wel alsof er lachbubbels in mijn schedel zaten, ze bliepten en blopten en de haarwortels voelden zich fantastisch na die aai. Dat zou hij toch niet gedaan hebben als hij mij niet aardig vond?

'Sorry,' zei mama, terwijl ze in een doorzichtige sluier van parfum rondliep. 'We moeten meteen gaan. De boot vertrekt over twintig minuten. In de hoge keukenkast hangt een briefje waarop staat wat Bernhard wel en niet mag.'

Tweemeter keek me vragend aan. Ik schudde mijn hoofd. Hij schudde het hoofd ook, en ik begreep dat we het niet over Bernhard zouden hebben.

Ik kreeg twee snelle zoenen en daarna verdwenen mama en papa naar de taxi. Als een enorme zwarte kever keerde hij in het donker om, en veegde met de gele insectenlichten over de stam van de perenboom voordat hij koers zette naar de straat.

Tweemeter en ik keken hen na. Hij had nog geen tijd gehad om zijn jas uit te doen en stond daar in een van de langste mantels die ik ooit in mijn leven had gezien. Hij had vast wel door dat ik onder de indruk was.

'Nou, wat denk je?' zei Tweemeter en keek in het rond. 'Vijfenzeventig kronen in een tweedehandszaak. Signe, mijn vriendin, zegt dat ik hierin op een zwerver lijk. Maar ik vind hem chique.'

Hij ging voor de spiegel staan en glimlachte tevreden. 'Ik weet zeker dat deze mantel van een hoge piet van de Hoge Raad is geweest, of – en let op, Juist – van koning Haakon toen hij in Noorwegen aankwam.'

Gossamme. Zou dat echt waar zijn?

'Heb je het standbeeld van koning Haakon wel eens gezien?' vroeg Tweemeter.

'Nee.'

'Dan gaan we morgen de stad in om het te bekijken. De mantel lijkt erop als twee druppels water, weet je.'

'Moet je kijken,' zei hij en knoopte hem open. 'Hand-gestikte voering, prima kleermakerswerk. Een koning waardig, als je het mij vraagt.'

Tweemeter wurmde zich uit de mantel en hing hem in de garderobekast. Op zijn rug ontdekte ik een paardenstaart, en plotseling kreeg ik zin eraan te trekken. Kon ik een grap met hem uithalen? Jawel. Ik nam het risico.

'Is die ook van koning Haakon?' vroeg ik en trok voorzichtig aan de lange, donkere paardenstaart.

'Jij schurk,' zei Tweemeter en draaide zich snel om. 'Zie je niet dat die van koning Harald Schoonhaar is?'

Dat was het begin van een heel harige avond. En misschien koninklijk. Tweemeter vertelde honderduit over Harald Schoonhaar die botweg weigerde zijn haar te knippen voordat Noorwegen één koninkrijk was geworden.

Maar hoe lang werd zijn haar eigenlijk? Tot zijn middel? Tot zijn knieën? Moest hij het opsteken? Stond het naar alle kanten uit? Kreeg hij luizen? Hing het onder het rijden als ruige manen over het paard heen?

Dat wist Tweemeter niet, maar hij wilde het graag opzoeken, en we gingen de boekenplanken langs om een geschiedenisboek te zoeken. Toen we er uiteindelijk een vonden, stond daar niets in over de lengte van het haar van Harald Schoonhaar, maar er stond wel dat hij niet alleen nee zei tegen het knippen van zijn haar – hij wilde zich zelfs niet kammen voordat Noorwegen één koninkrijk was!

Wat moeten dat een klitten zijn geweest. We zaten een tijdje op de bank aan het haar van Harald Schoonhaar te denken. 'Dat leek vast op een enorme mierenhoop,' zei ik. 'Hij waste het waarschijnlijk ook niet.'

'Jawel, in zout water,' dacht Tweemeter en toen vertelde hij een fantastisch verhaal over een vrouw in Engeland die had besloten om haar haar drie maanden lang niet te wassen. Een televisiemaatschappij had haar zover gekregen, en iedere week kwamen ze haar haar filmen dat steeds vetter werd tot ze op een rioolrat leek. Maar opeens, vlak voordat er drie maanden voorbij waren, veranderde haar haar en werd glanzend en vol krullen.

'Is dat waar?' vroeg ik en kroop dicht tegen Tweemeter aan. 'Had ze eerst helemaal steil haar?'

'Ja, helemaal.'

'En toen kreeg ze krullen nadat het vet verdwenen was?'

Tweemeter knikte. 'Ja, lange, golvende krullen. Ik zweer het.'

Dat zette me waarachtig aan het denken. Toen ik even later in de badkamer mijn tanden poetste, vroeg ik me af of ik het risico zou nemen, om krullen te krijgen. Drie maanden. Dat duurde toch niet eindeloos, en dan zou dat harde scheerkwasthaar van mij in blonde golven kunnen veranderen. Net als Ole Gunnar Solskjær. Daar had ik wel oren naar.

'Ou je van oet'al?' vroeg ik met de mond vol tandpasta.

'Voetbal?' zei Tweemeter. Hij zat op de wc-bril erop toe te zien dat ik mijn tanden poetste. Nu wierp hij een blik op de klok boven de spiegelplank.

'Vind jij het leuk?'

Ik knikte en spuwde uit alle macht.

Tweemeter stond op van de wc-bril. 'Heb je zin in een wedstrijd voordat je naar bed gaat?'

Wat dacht je!

We pakten een kussen van de bank en begonnen over de woonkamervloer te dribbelen. Ik had superkrachten, mega dijbenen die haast uit mijn pyjamabroek barstten, mijn benen jubelden van voetbalritme. In het rond, naar voren, opzij, op de hak, weg en daar – recht in het doel.

'Oei, oei, oei,' kreunde Tweemeter na een tijdje. 'Ik moet

zeggen dat je de slag te pakken hebt, Juist. Je tackelt als een jonge god.'

'Hemeltjelief. Ik voelde mijn hart als een heet wafelijzer in mijn borst sissen. Tackelde als een jonge god, ik! Dat was geen kleinigheid. Manchester United here I come. Ik gaf een knallende trap, en zag het kussen recht in een van mama's kamerplanten suizen. Hij boog door met zijn lange, groene, verwarde looflokken en strooide een regen van aardkluiten over de potrand heen.

'Joepietee, dat zit niet mee!' zei Tweemeter en veegde de aarde met een krant bijeen. Niks stofzuiger. Niks stoffer en blik. Alleen de avondkrant, drie streken over het parket, een duw op de plant en de klus was geklaard. Yeah.

Daarna hadden we limonade nodig. Grote slokken. We zaten in de keuken en ik zag dat het kwart over tien was. Super. Voetbal en frambozenlimonade na het tanden poetsen, dat soort dingen vond ik leuk.

'Ik begrijp het niet,' zei Tweemeter en slurpte de laatste restjes limonade uit het glas. 'Waarom ga je niet op training, Juist?'

'Eh,' zei ik en wist niet goed wat ik moest antwoorden.

'Je hebt het immers in de benen,' zei Tweemeter. 'Alleen benen met een heel eigen muzikaliteit trappen goed.'

Was dat echt waar? Ik zag voor me hoe hele en halve noten in mijn benen heen en weer sprongen, en ik voelde dat het inderdaad klopte, er kwam een bijzonder gezang in mijn lichaam op nadat ik een tijdje had gespeeld. Maar normaal gesproken oefende ik in mijn eentje, dribbelde om de perenboom heen en schoot naar een omgekeerde emmer.

Ik keek naar Tweemeter. Hij had twee rode limonade-strepen in zijn mondhoeken. Ze wezen omhoog en vorm-den een clownsglimlach. Toch keek hij serieus. Hoeveel zou ik hem over Patrick the hattrick en de anderen vertellen?

Ik durf niet, zei een stem binnenin me. Tegelijkertijd wilde ik het, ik wilde het heel graag en ik voelde een vloed aan woorden omhoog komen, een kant-en-klare zin was op weg naar mijn keel, maar middenin mijn borst, pof, daar loste de hele woordenvloed op. Ik kreeg een vreemd, zin-kend onderwatergevoel.

Gelukkig kon ik mijn stem laten lachen. 'Je lijkt wel een clown,' zei ik.

Tweemeter trok aan zijn paardenstaart en rolde met zijn ogen. Hij blies beide wangen vol. Goeie grutten, die werden geweldig groot. Hij zag eruit als een mengeling van een kabouter en een bloemkool. Ik lachte zo dat ik bijna van de kruk viel. Lieve God, smeekte ik, laat me niet ophouden met lachen, het is zo heerlijk.

5

Toen ik die avond in bed lag, riep ik Tweemeter. Hij kwam op zijn geitenwollen sokken de trap op sjokken en installeerde zich op de rand van het bed. Er was iets wat ik graag wilde vertellen, maar ik wist niet hoe ik de woorden over mijn lippen moest krijgen.

'Wat wil je weten?' vroeg Tweemeter.

'Eh,' zei ik en voelde de moed zakken. 'Waar ben je mee bezig?'

'Roodoog,' zei Tweemeter. 'Precies op het moment dat jij me riep, struikelde Struikelvoet over een boom die krak zei.'

'Op tv?' vroeg ik, maar dat was helemaal verkeerd. Fouter had het niet kunnen zijn, want Tweemeter zat immers beneden in onze woonkamer strips te vertalen. Billy de Kever en Het Fantoom, en Roodoog zat in Billy en Struikelvoet in Roodoog. Of zoiets. Het was niet zo gemakkelijk te volgen, en na die fantastische voetbalmatch met het bankkussen was ik een beetje afgepeigerd. Ik begreep er in ieder geval wel uit dat Tweemeter geld moest verdienen. 'Ik studeer al zoveel jaar,' zei hij, 'en ik heb nauwelijks examens gedaan. Nu krijg ik geen studiebeurs meer.'

Hij stond op, en ik begreep dat hij weer naar Struikelvoet terugwilde. Ik moest snel zijn. 'Eh, luister,' zei ik. 'Ben je wel eens met de bus geweest?'

Tweemeter keek me vreemd aan. 'Al heel vaak.'

Ik voelde mijn gezicht gloeien, het was maar goed dat het donker was in de kamer. 'Ook als de bus vol zat?'

Tweemeter knikte.

'En moest je staan?' vroeg ik.

Hij knikte weer, en ik voelde dat ik nu goed op weg was. 'Zo was het toen ik naar Oslo verhuisde,' zei ik. 'In mijn klas waren alle zitplaatsen al bezet. De anderen hadden vriendschap gesloten voor ik kwam, dat was tegen kerst in de tweede klas.'

Tweemeter zei een tijdje niets. Ik geloofde bijna dat hij naar Billy en de tekstballonnen was teruggegaan en mij voor een indiaan in de steek had gelaten, maar toen ging hij weer op de rand van het bed zitten. 'Er zijn nog meer bussen,' zei hij ernstig.

Wat bedoelde hij? Dat ik van klas moest veranderen? Mama had dat voorgesteld, maar ik bedacht me dat als ik weer nieuw in een klas kwam, alle zitplaatsen daar ook bezet zouden zijn, en dan zou ik toch in het middenpad staan en heen en weer geslingerd worden en nergens thuishoren.

'De voetbalexpres bijvoorbeeld?' vroeg Tweemeter en pakte mijn sjaal van Manchester United van het haakje aan de muur. Hij liet het voor mijn ogen bungelen, alsof hij me probeerde te hypnotiseren. 'Ik zal een gymzaal regelen,' zei hij. 'We gaan hard trainen voordat de sneeuw verdwijnt.'

De volgende dag was de gymzaal er, met een klimrek en evenwichtsbalken en zo. Nou, niet vlak voor de deur, we moesten een stuk met de tram en de bus. We hadden helemaal geen tijd om naar de mantel van koning Haakon te kijken.

'Hoe heb je dát voor elkaar gekregen?' vroeg ik toen we bij de school aankwamen waar de gymzaal was.

'Vrouwen,' fluisterde Tweemeter.

Vrouwen?

Opeens dacht ik aan die dames in bikini en negligé. Wauw. Stel je voor dat ik prof zou worden. Ja, stel je voor dat ik in de selectie van ManU zat en na de competitiewedstrijd met nat, golvend haar en mooie hoektanden onder de douche vandaan kwam. Dan moest ik vast honderden handtekeningen uitdelen. Juist Jensen, in een vlot schuinschrift en een streep eronder. Sommigen zouden de handtekening misschien inlijsten en aan de muur hangen, of ermee onder het kussen slapen...

'Hallo,' zei Tweemeter en streek me door het haar. 'Dit is Mirjam en dit is de sleutel.'

Voor mij stond een vrouw met kort, bruin haar en een ring door de neus. Ze was onderwijzeres op de school met de gymzaal, maar leek niet bijzonder geïnteresseerd in voetbal. Nee, ze zat op een van die lage, dwergachtige gymzaalbanken kranten te lezen. Ze sloeg haar ogen bijna niet op, en daardoor zag ze mij niet terwijl ik met de bal tussen oranje en witte kegels zigzagde, waarna ik hem met een lang schot in de richting van Tweemeter knalde. Hij droeg geen joggingschoenen, dus toen we begonnen te dribbelen, kreeg zijn ene grote teen een flinke duw. Maar Tweemeter liet zich niet tegenhouden, we trainden tot we eruitzagen alsof we uit Kuala Lumpur kwamen waar het vijftig graden was.

Onder de douche hielden we een gorgelwedstrijd en ik

won, want ik wist het halve *Stille nacht heilige nacht* te gorgelen zonder te slikken.

Na afloop moesten we met Mirjam naar het café. 'Dat moeten we wel,' fluisterde Tweemeter me in het oor. 'Ze is een ex-vriendin van me. Het was toch aardig van haar om ons de gymzaal te lenen.'

Tuurlijk. Maar het was een idioot idee van haar om vervolgens heel veel koppen cappuccino naar binnen te slokken. Ik voelde hoe ik op de caféstoel wortel schoot terwijl Mirjam de ene na de andere kop dronk. Er kwam geen einde aan, en ze stond geen enkele keer op om naar de wc te gaan. Nee, ze zat Tweemeter de hele tijd maar glimlachend met een witte snor van melkschuim aan te staren. Probeerde deze ex-vriendin als kampioen tijdrekken in het Guiness Book of Records te komen?

'Tot ziens,' zei Mirjam toen we buiten het café afscheid namen. 'Je zegt het maar als je de gymzaal weer wilt gebruiken.'

'Je,' zei ze en ze bedoelde duidelijk alleen Tweemeter. Hoewel hij, in tegenstelling tot mij, nooit voetbalprof kon worden. 'Ik ben te oud,' zei hij toen ik het vroeg. 'Ik ben zevenentwintig, Juist. Heb al veel te lang niet meer geoefend. Ik heb de handdoek al geworpen toen ik nog een jongetje was.'

De handdoek geworpen? Waarheen dan?

'Ik ben gestopt,' zei Tweemeter. 'Ik wilde liever rockster worden.'

Hij legde de arm om mijn schouder. 'Maar ik had geen zin om te oefenen. Ik was van plan om Jimi Hendrix te worden, begrijp je. Maar toen ik doorkreeg dat ik tot in alle eeuwigheid pijnlijke vingertoppen zou hebben voordat ik een ster kon worden, heb ik op dat gebied ook de handdoek geworpen.'

Wat een rothanddoeken. Maar je bent een hartstikke fijne vent, dacht ik en voelde hoe lekker die lange arm van hem om mijn schouders lag.

Onderweg naar huis besloot Tweemeter opeens om even langs zijn appartement te gaan. Hij wilde een paar Billy-bladen en een Fantoom ophalen die hij voor de volgende week moest vertalen.

We stapten over op bus elf en stapten bij een kerk uit.

'Ben je bang voor kamerkonijnen?' zei Tweemeter toen hij de deur naar het erf waar hij woonde opendeed.

'Heb je konijnen?' vroeg ik. 'Mijn oma heeft een langoor, Angora.'

'Nee, helaas,' zei Tweemeter. 'Ik heb alleen stofdotten die daarop lijken.'

'O,' zei ik. 'Dat geeft niets. Zolang je geen beschimmeld eten hebt, met lang groen haar erop.'

Tweemeter stopte op de trap. 'Dan doen we de koelkast maar niet open,' zei hij. 'Hé, wat is dat?'

Op de deur hing een briefje.

WAAR BEN JE?
WAAROM STAAT JE ANTWOORDAPPARAAT NIET AAN?
VERGEET MORGEN MAMA'S VERJAARDAG NIET.
KUS, SIGNE

Tweemeter schakelde binnen een seconde op een andere versnelling over. In nul komma nul niks was hij het appartement binnen. Hij praatte als een spraakwaterval in de telefoon, en toen hij de gang weer op kwam, leek het alsof hij voor de tweede keer die dag in Kuala Lumpur was geweest. Boven zijn mantel was zijn hoofd op het kookpunt. 'Ik weiger om een mobiele telefoon te kopen,' zei hij beslist. Ik begreep niet helemaal of hij het tegen mij of tegen de hoedenplank had. 'Dat is toch logisch,' ging hij verder, met zijn gezicht naar een strohoed vol gaten gericht. 'Als voorzitter van de Volksbeweging tegen mobiele telefoons kan ik dat immers niet.'

'Voorzitter?' vroeg ik.

Tweemeter zuchtte tegen de hoedenplank, alsof hij daarmee nog steeds in gesprek was. 'Nee, helaas ben ik dat niet. En helaas is morgen vandaag.'

Wat? Had hij een klap van de molenwiek gehad? Kon je half januari in Oslo een zonnesteek oplopen? Misschien leed hij aan een ziekte, een geheime ziekte, waarvoor hij zich schaamde en waardoor hij niet kon trainen? Misschien was dat een verklaring voor al die handdoeken.

'Heb je paracetamol?' vroeg ik.

'Ben je ziek?' vroeg Tweemeter en draaide zich eindelijk om naar mij.

'Nee, ik vind dat je er beroerd uitziet,' zei ik.

Maar Tweemeter was niet beroerd, hij was alleen van de kaart. Want terwijl wij stonden te praten, zat Signe taart te eten op de verjaardag van haar moeder. Ze was de vorige avond hier geweest en had het briefje opgehangen, nadat

Tweemeter holderdebolder in een taxi moest stappen om naar mij te gaan.

'Nu moet ik Signe blij maken,' zei Tweemeter. 'Kom op, Juist. Operatie Rozen is gestart.'

Hij had een fantastisch plan: om tien over acht zou Signe met de trein op het Centraal Station van Oslo aankomen. Dan zou Tweemeter met zijn armen vol rozen staan te wachten.

'Weet je, Signe kan zo allemachtig boos worden,' legde Tweemeter uit toen we de trap afliepen. 'Maar ze kan ook zo allemachtig vrolijk zijn.'

Voor een deur op de begane grond hield hij halt. 'Dan is ze om op te eten,' zei hij en drukte zijn wijsvinger op de bel.

De man die opendeed heette Ahmed en zijn overhemd was zo wit was dat mijn ogen er pijn van deden.

'Sorry dat ik je na sluitingstijd stoor,' zei Tweemeter. 'Maar ik zou nog graag een paar rozen willen kopen. Als je die tenminste hebt,' voegde hij eraan toe.

Maar die had Ahmed niet. Ook geen anjers. Die had hij voor 39,90 per bos verkocht. Maar hij had Fatima, zijn vrouw, en zij had een kerstcactus.

Tweemeter en ik moesten het appartement binnenkomen.

Glanzende blauwe en bloedrode tapijten hingen aan de muur, en voor het grootste raam stond Fatima in een jungle van potplanten te glimlachen. Haar glimlach was net zo wit als Ahmeds overhemd, en ze wilde Tweemeter beslist een kerstcactus geven die met Pasen bloeide. Helemaal gratis.

'Mooie, paarse bloemen,' zei Fatima. 'Hier is de moeder.'

Ze liet ons een nog grotere cactus zien, die op een afstand op een afschuwelijke groene inktvis met slingerarmen leek. Hij kronkelde en draaide, alsof hij probeerde te ontsnappen uit het olijfolieblik van tien liter waarin hij stond.

'Eh... hartelijk bedankt,' zei Tweemeter en stond al met de kerstcactus in zijn handen. Hij zag er vreselijk verward uit. 'Ik had liever bloemen gehad...' stotterde hij, maar Fatima lachte alleen. 'Het lukt je wel. Geen probleem.'

'Ja,' zei ik. Ik begreep dat ik Tweemeter in een moeilijke periode moest steunen. 'We kunnen er een paar van zijdepapier op zetten.'

'Dan ziet het er mooi uit tot aan Pasen,' voegde ik eraan toe.

Dat vond iedereen een goed idee, vooral Ahmed die voorop liep naar zijn winkel op de hoek. Ja hoor, hij had zijdepapier. Tweemeter was een goede klant, zei Ahmed, en opende een heleboel sloten. Hij vond het fijn om van dienst te kunnen zijn. Hij rommelde in de winkel rond, en kwam blij terug. 'Alsjeblieft,' zei hij en overhandigde Tweemeter een rol bakpapier.

'Maar...' begon ik.

'Sst,' fluisterde Tweemeter, hij glimlachte en bedankte Ahmed voor de hulp.

Meer dan een uur zaten we bloemen in Tweemeters keuken te maken. Eigenlijk was het leuker met bakpapier dan met zijdepapier, want nu konden we er bloemen op tekenen. Ze geruit en gestreept en gespikkeld maken. Ik hield me vooral bij rood en wit want dat zijn de kleuren van Manchester United, terwijl Tweemeter verschillende zwarte bloemen maakte met gele en lichtblauwe sterren erop. 'Een subtropische specialiteit,' zei hij en naaide ze vast met staaldraad dat hij had gevonden nadat hij een kast overhoop had gehaald.

Om klokslag acht uur stonden we op perron vijf op de trein te wachten. Tweemeter had de kerstcactus in krantenpapier en nogal gekreukeld kerstpakpapier gewikkeld. Alles zou veel eenvoudiger zijn geweest als Signes moeder in juli jarig was geweest. Als Tweemeter het feest dan helemaal vergeten zou hebben, hadden we gewoon snel wat margrieten uit de slootkant mee kunnen nemen.

'Het hadden rozen moeten zijn,' zei Tweemeter weer, en hij zag eruit alsof hij de moed ging verliezen. Kon Signe echt zo boos worden? Ik keek naar de roltrap die omhoog liep van het perron naar de aankomsthal. Als ze te erg werd, kon ik er beter vandoor gaan.

'De trein op perron vijf heeft een vertraging van vijftien minuten,' klonk het door de luidspreker.

Vijftien minuten. Dat was martelen. Stel je voor dat ze zo boos was dat ze Tweemeter een klap gaf als ze hem zag? En de kerstcactus op de grond viel! Dan zouden de bloemen van bakpapier kapot gaan door aarde en vuil en cactussap.

Het duurde een eeuwigheid voor de trein met een slakkengangetje het station binnenreed. En toen hij eindelijk diep had gezucht en halt hield, leek het alsof hij in slaap was gevallen en de deuren niet kon openen. Shit nog aan toe, niet gek dat er maar weinig mensen in dat boerennest van Signe wonen, dacht ik, zo traag als de trein daarvandaan is. Signe woonde daar helemaal niet, dat wist ik. Ze was naar hier verhuisd om te studeren, alleen haar vader en moeder waren echte plattelanders, en zij namen vast de auto.

Maar...

'Daar is ze,' zei Tweemeter en stootte me aan.

Wie? Waar? Opeens wemelde het van de mensen op het perron. Misschien woonden er toch best veel mensen in daar in dat dorp van Signe. Daar kwam een dame op ons af. Blond haar. Ze wuifde met blauwe handschoenen. En ze glimlachte! Minstens net zoveel als Fatima. Ik kon haar tanden op een afstand van vijftig meter zien. Ze leken op vierkante, regelmatige marmeren tegels. Krijtwit. Misschien was haar moeder tandarts en had zij ze na de taart onder handen genomen. Ze zagen er helemaal nieuw uit!

'Hallo!' riep Signe en liep recht op Tweemeter af. Rekte zich uit... en smak!

Ze kuste hem vol op de mond. Ik was zo verbaasd dat ik helemaal vergat me om te draaien of de roltrap op te joggen. Getortel is niets voor mij. Ik ben meer geïnteresseerd in bikinifoto's en handtekeningen.

'Het spijt me dat ik zo kwaad was door de telefoon,' zei Signe, en gaf Tweemeter nog een kus. 'Maar ik wist niet waar je was.'

Ze kreeg geen antwoord. Want kus nummer twee leek Tweemeter volledig van zijn stuk te hebben gebracht. Hij wankelde achterover en tuimelde regelrecht in een koffertrolley. Die rolde weg en Tweemeter gleed achteruit alsof hij in één seconde ladderzat was geworden, en hopla, daar liet hij de kerstcactus met een klap op de grond vallen. O, was de pot maar een olijfolieblik van tien liter geweest. Maar nee hoor, het cactuskind van Fatima stond in een gewone bloempot, honderd procent breekbaar. Nu lag hij compleet in scherven onder het kerstpakpapier.

'O,' zei Tweemeter en stond er verslagen bij. 'Het hadden rozen moeten zijn…'

Ik scheurde het papier open. 'De bloemen zijn goed gebleven,' zei ik, 'kijk maar!'

Naast me boog Signe zich voorover. 'O, wat mooi,' zei ze en streek met haar vingertopje over een van mijn Manchester United-bloemen.

'Mag ik voorstellen,' zei Tweemeter boven ons. Hij had zich vast hersteld, en leek weer op koning Haakon met de paardenstaart. 'Juist Jensen!' zei hij met gespreide armen. 'Bloemenmaker en voetbalprof in spe.'

'In wat?' vroeg ik.

'In wording,' zei Tweemeter en met een reuzenzwaai nam hij me in een graafmachinegreep en slingerde me op zijn schouders. Sodeju! Wat een uitzicht! Ik kon bijna tot in Engeland en nog verder kijken, en beneden stond Signe met haar tanden, sproeten en huid te glimlachen, en leek op iets heerlijk versgebakkens en warms van de bakker. Ja, Tweemeter had gelijk, ze was om op te eten. In ieder geval om trek van te krijgen. Ik voelde mijn maag knorren. Signe deed me aan versgebakken bolletjes met maanzaad denken, mmmm. Ja, graag.

45

6

In de zes weken dat Marianne in het gips zat, belden mama en papa naar Tweemeter als ze naar een feest of op zakenreis moesten.

'Kunnen we je voor volgende week zaterdag boeken?' zeiden ze soms als Tweemeter klaar stond om te vertrekken.

'Boek maar,' zei Tweemeter, die een bedrijf had en wist dat dit boeken iets heel anders was dan leesboeken. Soms vroeg ik me af of hij net zo leuk omging met de andere kinderen op wie hij paste, maar ik durfde het niet te vragen. Want het liefst wilde ik dat hij extra aardig tegen mij was. Hij toverde toch niet voor Jan en alleman gymzalen te voorschijn.

We trainden bijna elke keer als hij kwam, en ik voelde me steeds beter worden. Steeds sterker. Vooral nadat Tweemeter zijn joggingschoenen niet meer vergat, en flink met mij aan het dribbelen sloeg. Na afloop voelde ik hoe mijn dijbenen klopten en meestal klauterde ik op het wc-deksel in de badkamer. Vanaf die plaats kon ik mezelf in de spiegel zien, en als ik mijn spieren spande tot ze trilden, had ik het gevoel dat de Engelse voetbalcompetitie toch niet zo onmogelijk was.

Dan deed het er niet toe dat ik me daarna in het café moest zitten vervelen. Mirjam had maagproblemen gekregen door te veel koffie, maar ze wist de tijd met minstens evenveel koppen thee te rekken. Het was vreselijk vervelend om zo lang stil te zitten, ik had vooral zin om op straat te gaan joggen, over de voetpaden te spurten, over de tramrails te springen, te huppen en te schoppen, want de muziek waarover Tweemeter het had, die door voetballen in mijn benen kwam, wilde niet stoppen. Die ging maar door, en ik voelde dat ik het allermeest verlangde naar een enorme, groene grasmat waarover ik kon spurten, terwijl het publiek uit zijn dak ging. Hup, Juist. Hup. Hup. Yeah! Goal!!

Op een avond onderweg naar huis zei Tweemeter: 'Ik heb het uitgezocht. Nog een maand en dan begint de buiten-training.'

Mijn hart sloeg een slag over. 'Welke buitentraining?' vroeg ik en zag meteen Patrick the hattrick voor me. Wat zou hij zeggen als hij me op de training zag opduiken! 'Hè? Komt de sint-bernard hier? Wat verbeeldt hij zich wel? Wil jij de mascotte worden of zo?'

'Eh,' zei ik en keek naar Tweemeter. 'Ik denk dat ik het beste nog even kan wachten. Misschien volgend jaar...'

'Niks ervan,' zei Tweemeter. Hij zag er haast angstaanja-gend beslist uit. 'Je bent nu zo goed dat het van een leien dakje zal gaan.'

Hij keek me recht aan. 'Je moet je nu niet terugtrekken, Juist. Het is belangrijk om vlak na de winterstop te beginnen.' Start van het seizoen, ik? Het was toch tienduizend keer beter om van die sappige, kopergroene grasmat en het gejubel van de tribune te dromen. Dat was zoiets als je iedere dag voorstellen dat je het zaterdagse snoep opeet, zonder dat je gaatjes krijgt. Het veld oprennen met Patrick the hattrick die minstens twintig centimeter groter was dan ik en uitgelachen worden, nee, dat durfde ik niet.

'Ik ga de eerste keer met je mee,' zei Tweemeter. 'Of ik dan op je moet passen of niet.'

Hij knipoogde. 'Vertrouw op mij.'

Op een woensdag eind april zou het gebeuren. Sinds Tweemeter had gezegd dat ik echt moest, had ik er vaak vreselijk tegenop gezien, en de avond voor de eerste buitentraining kon ik bijna niet slapen. Mama was niet thuis, ze vierde dat ze een contract had gekregen om een nieuw kookboek te schrijven, en papa voelde zich niet lekker en viel op de bank in slaap voordat ik het bed in kroop.

Urenlang lag ik in bed te woelen, voordat ik me ineens op onze nationale feestdag in een optocht bevond. Ik liep aan één stuk door, en moest vreselijk nodig naar de wc. We liepen op de de hoofdstraat van Oslo, en het was onmogelijk om er tussenuit te knijpen om te plassen. Net op het moment dat de optocht langs het balkon van het koninklijk paleis zou lopen, maakte hij een bocht en ging regelrecht het paleis in. Met rijdende paarden en vlaggen en de hele mikmak, de hele optocht marcheerde het paleis binnen en ik dacht: hier kost het vast geld om te plassen. Maar toen dook Tweemeter op, hij wilde me tien cent geven, maar toen was mijn klas al verder gelopen en moest ik hen achternarennen.

Plotseling stond de koning voor mijn neus. Hij zei: 'Je hebt een zwarte broek aan!' en ik begreep wat hij bedoelde. Ik kon in mijn mooie broek plassen zonder dat het opviel. Godzijdank. Wat een opluchting. Nu kon ik het gewoon laten lopen… Bij de eerste straal werd ik met een schok wakker. Gelukkig lag ik op mijn zij, alleen mijn pyjamabroek was nat. Ik trok hem uit en sloop de badkamer in.

O nee, de wasmand was bijna leeg.

Ik griste een paar badhanddoeken weg en sjorde ze om mijn pyjamabroek heen.

Op dat moment ging de deur open. Mama kwam binnen met kleine oogjes en met haar als een geplunderd vogelnestje. 'Wat is er?' vroeg ze met de hese sigarettenstem die ze altijd heeft als ze naar een feest is geweest.

'Niets,' zei ik en liet achteloos de badhanddoeken in de wasmand vallen.

'Bernhard toch…'

Ze klonk niet boos, niet verdrietig, ja toch, een beetje verdrietig, en ik voelde mijn huid op mijn achterwerk prikken en ik voelde me vreselijk naakt zonder broek.

'Het geeft niets,' zei ze, en aaide over mijn bol.

Heel even kreeg ik zin om me tegen haar buik in de zachte ochtendjas aan te drukken, maar ik kon niet. Ik was boos op mezelf, het was namelijk wel erg. Het was eigenlijk heel, heel erg. Ik had nu al meer dan een jaar niet in bed geplast. Dat had ik achter me gelaten. Ik had zelfs een snowboard cadeau gekregen omdat ik helemaal droog was en we dat akelige plastic laken rond de matras konden verwijderen. Dat snowboard konden ze wel tot brandhout hakken. Ik wilde het niet hebben.

'Je stinkt naar rook,' zei ik tegen mama en ging naar mijn kamer.

7

'Nou?' zei Tweemeter toen we onderweg waren naar het sportcomplex. 'Heb je vlinders in je buik?'

'Nee, draken,' zei ik en sleepte met mijn benen. Werd de buitentraining maar afgelast. Het was de hele dag al koud, als het zou beginnen te hagelen, zou de trainer misschien zeggen...

'Juist,' zei Tweemeter en ging vlak voor me staan. 'Ik ben niet een van de allerslimsten, maar één ding weet ik wel.'

'Wat dan?' zei ik, zonder op te kijken.

'Dat het zonde is om op te geven voordat je het geprobeerd hebt.'

'Maar ik probeer het toch!'

Ik voelde mijn tranen branden. Ik had zin om die grote, halflege trainingstas in de sloot te gooien. Alsof ik het niet probeerde! Ik was hier toch! Ik zat niet thuis met de computer te spelen. Was dat niet voldoende, moest ik als een zon schitteren met mijn buik propvol draken? Wilde hij dát? Wat wist Tweemeter er nou van om ergens tegenop te zien? Hij was immers zo groot.

'Jij weet er niets van,' zei ik en knipperde met mijn ogen om de tranen tegen te houden. 'Wat het is om ergens tegenop te zien.'

'Ik!' zei Tweemeter en sloeg zijn ogen ten hemel. 'O ja, zeker wel.'

Hij zweeg en we liepen verder. Naast elkaar. Wat is alles vandaag vervelend, dacht ik. In de slootkant was geen enkele voorjaarsbloem te bekennen, alleen een blauwgrijze, smerige mengeling van aarde en uitlaatgassen. De paar graspollen die er stonden staken omhoog als achtergelaten plukken haar op een kale schedel. Getsie, het enige wat er nu nog aan ontbrak, was een fikse hagelbui.

'Je zult het misschien niet geloven,' zei Tweemeter opeens. 'Als er vroeger iemand in ons koninkrijk ergens tegenop zag, was ik het wel.'

Ik keek naar hem op. 'Jij!'

'Ja,' antwoordde hij. 'Een aantal jaren lang op het voortgezet onderwijs durfde ik bijna niets anders dan thuiszitten en naar muziek luisteren. Ik was zo groot en slungelig en wist niet wat ik met mijn lange lichaam aan moest.'

'Maar groot!' riep ik uit. 'Dat is mooi. Dat is veel mooier.'

'Dat vond ik niet,' zei Tweemeter. 'Toen niet. Ik voelde me Frankenstein of zoiets. Ik was ervan overtuigd dat de meisjes er van schrik vandoor zouden gaan als ik hen aanraakte. Maar nu…'

Hij glimlachte. 'Nu zie ik eigenlijk alleen maar tegen examens op.'

Hij kneep me voorzichtig in het oor. 'Het loont de moeite om het te proberen, Juist. En kijk maar, we zijn er al bijna.'

Voor ons lag het sportcomplex. Ik was zo in de war doordat ik moest denken aan Tweemeter die zich Frankenstein had gevoeld, dat ik helemaal vergat bang te zijn. Maar zodra ik Patrick the hattrick in de gaten kreeg, kwam het weer bij me boven. Dit zou me nooit lukken.

Hij rende het veld op en haalde in zijn eentje trucs uit met de bal. Ik telde er vier uit mijn klas en evenveel uit de parallelklas, plus enkele anderen die ik niet kende.

Patrick the hattrick kopte de bal en rende erachteraan naar de zijlijn. Precies op het moment dat hij zijn voet weer op de bal zou zetten, zag hij mij. Hij keek verbaasd, er verstreken een paar seconden, toen vertrok hij zijn bovenlip in een akelige grijns. Wacht maar, zei die grijns.

'Laten we een rondje lopen,' zei Tweemeter en trok me in de richting van het clubhuis.

We liepen een rondje, en nog één. Ik begreep er niets van, waar was dit goed voor? Op die manier in het rond huppelen, het was toch geen rondje om de kerstboom? Maar oké, mij best. Als ik maar uit de buurt van Patrick the hattrick kon blijven, liep ik graag rondjes tot ik erbij neerviel. Ja, misschien was dat mijn redding. Flauwvallen.

'Vertrouw op mij,' zei Tweemeter weer.

Ik gluurde naar hem. Om de een of andere reden had hij zijn paardenstaart vandaag onder zijn jas gepropt. Hij zag er erg geconcentreerd uit. Stel je voor, hij had zich Frankenstein gevoeld, terwijl hij zulke mooie schitterogen had en een vriendin die aan krentenbolletjes en krakelingen deed denken en die mijn maag liet knorren.

Toen we voor de derde keer om het clubhuis heen hadden gerend, pakte Tweemeter me snel bij mijn arm. 'Zeg niets voordat ik klaar ben,' zei hij en liep weg in de richting van de jongens die een eindje voor ons bij elkaar stonden.

O nee, daar was Patrick the hattrick weer. De enige in short, dat zag ik nu. Alle anderen hadden een trainingsbroek aan, en zelf wenste ik dat ik een maillot had. Ik huiverde tot in het diepste van mijn beenmerg. Nu begon het vast gauw te hagelen. Of te sneeuwen. Hier en overal.

'Goedenavond,' zei Tweemeter en baande zich een weg naar een mollige man in trainingspak. 'Ben jij Sven Madsen, de trainer van jongens van elf jaar?'

'Trainer en coach. Ja, dat klopt.'

'Aangenaam,' zei Tweemeter en schudde hem de hand. 'Ik moet me misschien even voorstellen.'

Toen stak hij van wal, hij wist van geen ophouden. 'Ik heb in mijn stad in de hoofdklasse gespeeld,' zei Tweemeter en begon een lang verhaal over een voetbalclub waarvan hij lid was geweest. Bovendien had hij bijna in de nationale jeugdselectie gezeten als hij zich in plaats daarvan niet op zijn studie had gericht.

O allemachtig nog aan toe, wat keken ze hun ogen uit. Alle jongens, iedereen met Patrick the hattrick aan kop, ze staarden omhoog naar de tweehonderd centimeter, en gaapten als goudvissen. De nationale jeugdselectie!

'Nu ben ik zevenentwintig,' ging Tweemeter verder. 'Mijn tijd is voorbij, maar zoveel weet ik nog wel van voetballen dat ik een talent herken als ik dat zie.'

Sven knikte vol ernst.

'En deze kerel hier,' zei Tweemeter en trok me dichterbij. 'Die heeft het in de benen.'

Iedereen keek naar mij. O nee! Hier kon je wel kroep van krijgen. Val flauw, zei ik tegen mezelf. Val om, verdwijn. Het is duizend keer beter om tegen de perenboom in de tuin te spelen of tegen Tweemeter in de gymzaal dan je voor de ogen van anderen voor schut te laten zetten. Nu denken ze immers dat ik supergoed ben. Dat ik Ole Gunnar Solskjær ben. Help! Mayday. Mayday.

Tweemeter boog zich voorover en fluisterde. 'Dit gaat prima. Ontspan maar, alles komt in orde.'

'Vandaag, jongens,' riep Sven, 'gaan we trainen om de bal te stoppen en de binnenkant van de voet te gebruiken. Maar eerst een warming-up!'

Voor mij lag de grasmat, nog steeds vaal en met grote, modderige plekken voor het doel. De anderen krioelden het veld op. Ik stond in mijn trainingsbroek te rillen, maar in-eens gebeurde een wonder. Zo'n wonder als waarover mevrouw Bolat het heeft: als een engel met de vinger knipt, zoals zij het noemt, en alles van het ene op het andere moment verandert. Plotseling voelde ik de muziek in mijn benen. Die was er zomaar, en zonder erbij na te denken rende ik het veld op naar de anderen. Nu moest er gespeeld worden. Nu moest er getraind worden. Verdorie nog aan toe. Goeie grutten, Tweemeter. Ik zwaaide naar hem bij de zijlijn. Wat kun jij liegen!

8

Onder het trainen zei Patrick the hattrick geen woord tegen me. Na afloop ook niet. Hij liep me gewoon straal voorbij in de gang en had evenveel aandacht voor mij als voor de rij kapstokken achter me.

'Dat is goed gegaan,' zei Tweemeter toen ik naar buiten kwam. Hij stond met een vrouw te praten. Ze keek giechelend naar hem. 'Tja, als jij het zegt,' zei ze, alweer giechelend.

Ik had geen idee waarover ze het hadden, maar het was hoe dan ook moeilijk om hem mee te krijgen, want de vrouw, de moeder van een andere nieuwe jongen, was babbelziek. Ze bood hem zelfs keelpastilles aan. Was het echt mogelijk dat Tweemeter zich Frankenstein had gevoeld?

'Zeg,' zei ik toen we op weg waren naar huis. 'Dat met Frankenstein, was dat echt waar?'

Tweemeter leek een ogenblik helemaal van de wereld te zijn. 'O nee,' zei hij. 'Nee, ik lieg niet over belangrijke zaken.'

'Is voetbal dan niet belangrijk!'

'Tja, jawel. Voor sommigen.'

'Voor sommigen!' riep ik uit. 'Voor miljoenen! Heb je het WK en het EK niet gezien. Op de hele wereld zijn de mensen enthousiast.'

Dat moest Tweemeter toegeven. Maar toch vond hij dat voetbal niet zo belangrijk was dat je niet een leugentje om bestwil kon zeggen. 'Heb je niet in de hoofdklasse gespeeld?' vroeg ik om helemaal zeker te zijn. 'Je hebt de handdoek geworpen, nietwaar!'

'Klopt,' zei Tweemeter en liep de straat op. 'Ik wilde liever Jimi Hendrix worden! Oh yeah. Het vuil eruit zweten. Buikkramp krijgen van genot!' jammerde hij en speelde zogenaamd gitaar alsof zijn leven ervan afhing. Hij beukte los op de onzichtbare gitaar, kneep zijn ogen toe en zwaaide als een krankzinnige struisvogel met zijn hoofd. Als dat maar goed ging!

'Pas op,' riep ik, 'er komt een auto aan!'

Tweemeter wierp zich zijdelings op de stoep. 'Wel heb je ooit,' lachte hij. 'Nooit kan ik eens rustig een concert geven.'

Op dat moment remde de auto hard. Een hoofd met blond haar stak uit het achterraam.

'Signe!' riep Tweemeter.

'Wat ben je aan het doen?' riep ze terug. 'Ben je van lotje getikt?'

'Hij geeft een concert,' riep ik, maar toen holde Tweemeter al naar de auto. 'Ik ga ervandoor,' riep hij, en wurmde zich naast Signe op de achterbank. 'De rest kun je toch wel alleen?'

'Ja,' riep ik. In naar huis gaan ben ik altijd al goed geweest.

Drie weken later was de eerste wedstrijd. Tweemeter moest op andere kinderen passen en kon niet komen.

'Maar ik zal je een ritueel leren,' zei hij van tevoren. 'Je moet ergens heen gaan waar niemand je ziet, en dan moet je je voetbalschoen drie keer kussen.'

'Waar mag dat goed voor zijn?' vroeg ik, teleurgesteld dat hij niet kon komen om me aan te moedigen.

'Dat brengt geluk,' zei Tweemeter. 'Eén kus is voor goede passes. De tweede kus is voor goede kansen. En de derde is voor...'

Hij sperde de ogen open. 'Minimaal één doelpunt.'

Moest ik dat geloven? Was dat geen bijgeloof, waarvan mama zei dat mevrouw Bolat zich daarmee bezighield? Of kon dat echt – een engel die met de vingers knipt en zo – stel je voor dat ik scoor! Ja, stel je voor... De gedachte alleen al deed mijn hele lichaam bruisen.

Een echte pegel rechts boven in de hoek...

Nee, dat lukte me vast niet. Het gebruis in mijn armen en benen stierf weg. Nee, ik moest vast op de reservebank zitten kniezen.

Ik slofte naar huis met de tas over mijn schouder. Mama en papa zeiden dat ze zouden komen kijken, maar ik wilde er niet samen met hen naartoe lopen. Ik moest immers ruim op tijd op weg als ik het geluksritueel wilde uitproberen. Het werkte vast niet, maar proberen kon geen kwaad.

Toen ik het clubhuis naderde, voelde ik me opeens zo klein. Niet veel meer dan één meter tien. Shit, wat miste ik de tweehonderd centimeter van Tweemeter. Hij leek wel een vlaggenmast, en ik was de vlag die in hem werd gehesen. Nu hij niet kwam, bleef ik vast opgevouwen op de grond liggen.

Gelukkig was de kleedkamer leeg.

Waar moest ik het ritueel doen? Buiten? Binnen? Vlak bij

het veld? Ik besloot de wc. Daar zat een slot op, en ik had nu niet bepaald zin om op heterdaad te worden betrapt terwijl ik mijn voetbalschoen zoende.

Ik slingerde mijn tas op een bank in de kleedkamer en nam mijn rechterschoen mee naar de wc. Of moest het de linker zijn?

Ik ruilde hem om. Maar terwijl ik het slot weer omdraaide, bedacht ik: misschien kan ik ze het beste allebei pakken, voor alle zekerheid.

Ik wist net op tijd voor de derde keer binnen te komen toen ik voetstappen op de gang hoorde. Ze kwamen dichterbij en draaiden de kleedkamer in. Dat moest een van de anderen zijn.

Stel je voor, ik zat nu in een team. Wij tegen de anderen. Samenwerking, had Sven gezegd, was bijna het allerbelangrijkste. Stel je nu eens voor dat Patrick the hattrick had besloten me niet te plagen. Ja, stel je voor, nu zaten we immers in hetzelfde team...

Als ik er een doelpunt in zou knallen, zou hij me na afloop misschien op de schouder kloppen, en nog beter, zich om mijn nek werpen en juichen.

Hoewel hij een flink stuk groter was zou het wel kunnen, vooral als ik na het scoren een eindje omhoog zou springen. Maar hoe ging dat geluksritueel nog maar weer? Moest ik eerst voor het doelpunt kussen?

'Hela!' hoorde ik ineens. 'Ben je gauw klaar?'

O nee. Dat was Patricks stem. Hij rammelde aan de deurklink. 'Ben je verdronken of zo?'

Hij moest naar de wc. Maar wat dan met mijn ritueel?

Bracht het ongeluk als ik eraan begon, maar het niet af-
maakte?

Ik deed de kraan open. Moest geluid maken. Een echt
klatergeluid zodat hij begreep dat ik hierbinnen iets te doen
had. Niet alleen maar mijn voetbalschoenen aan het kussen
was. Oeah. Ze roken naar zure zolen en schimmelkaas. Nee,
het was vast het leer dat stonk; nu moest ik…

Ik drukte mijn lippen tegen de zool en op hetzelfde
ogenblik werd er op de wc-deur gebonkt. 'Heb je vergeten
je armen te spreiden of zo?'

Dat was Patrick weer, en nu hoorde ik ook andere stemmen. Meer jongens kwamen binnen. Ze praatten met elkaar
en lachten. 'Ben je van plan daarbinnen dood te gaan?' riep
Patrick.

'Wie is het?' vroeg een van de anderen.

'Er zit hier iemand opgesloten. Zeg, wat staat er op die
tas…?'

Iemand noemde mijn naam, en Patrick riep. 'Juist Jensen!
Train je om de pot te raken?'

Enkele jongens lachten.

'Ben je het bedplassen zat?'

O nee. Dat niet. Lieve God, lieve Jezus, ook al geloof ik
het meeste in jullie als ik in nood verkeer, red me nu. Niet
dat gedoe met plassen. Please, please, al het andere, maar dat
niet.

'Ha ha,' hoorde ik aan de andere kant. 'Dat doet Juist toch
niet?'

'In bed plassen? Ja, vast en zeker,' zei Patrick. 'Hij moet
met een regenjas onder de matras slapen. En… en…'

Zijn stem begon te stotteren van het lachen. 'Zijn moeder zet hem telkens op het potje.'

Van de andere kant klonk luid gebrul. Het waren wel zeven of acht jongens. Bijna het hele team. Mijn wangen gloeiden. Mijn mond voelde droog aan, alsof hij aan de binnenkant met papier was gedept. Ik kon haast niet slikken. Zo pijnlijk, zo misselijk. Nooit van mijn leven zou ik naar buiten gaan.

'Wat een vrolijkheid!'

Dat was de stem van Sven. 'Jullie vatten de wedstrijd toch niet te licht op?'

Ze lachten wat minder.

'De eerste wedstrijd van het jaar is altijd belangrijk, jongens. Kijk, hier zijn de tenues.'

Aan de andere kant van de deur ontstond een drukte van belang. 'Ik wil nummer zeven,' riep de een. 'Die had ik verleden jaar,' riep een ander. 'Ik wil elf.' 'Nee, ík wil elf.' 'Hou op. Sven? Ik heb toch nummer elf?'

Ze konden rustig hun tenues pakken, ik zou ze niet eens aanraken. Het was afgelopen met mij. Mijn voetbalcarrière was voorbij. Kon ik me maar in een watergeest veranderen en in de toiletpot verdwijnen, door de afvoerbuis naar beneden glijden, als een onderwatertorpedo door alle buizen heen stromen, voordat ik thuis in bad kwam boven borrelen, eruit stapte, weer mezelf werd en naar beneden liep, naar mama en papa.

O shit, wat miste ik hen. Thuis zijn. Opeens dacht ik aan mama in bad. Die zachte buik in haar ochtendjas en haar troostende stem.

'Als het bezet is,' hoorde ik Sven achter de deur zeggen, 'ga dan maar naar de meisjes-wc.'

'Poeh,' antwoordde Patrick. 'Dan doe ik het liever in de bosjes.'

Ja, dacht ik. Ik geef in elk geval geen kik.

Ik bleef op de wc zitten tot ze allemaal vertrokken waren. Het duurde een tijdje, toen hoorde ik de scheidsrechter op het fluitje blazen. De wedstrijd was waarschijnlijk begonnen. Toen klonk er gekletter van hoge hakken. 'Bernhard. Juist... ben je hier, Juist?'

Dat was mama. Ik beet op mijn onderlip. Wat vervelend. Wat vervelend voor haar dat ze een zoon had die op de wc zat opgesloten met zijn voetbalschoenen op schoot.

'Ik kom,' zei ik en trok door. Nu moest ik heel normaal lijken. Dat ik alleen wat misselijk was geweest en even was blijven zitten. Jeetje, een halfuur op de wc was toch heel gewoon.

Ik opende de deur en probeerde er uit alle macht normaal en druk uit te zien.

Maar één blik op mama was voldoende. Ik zag dat ze doorhad dat ik me ellendig voelde. Haar ogen werden haast een spiegel van de mijne, nu zag ik dat ze vochtig waren. Opeens dacht ik aan mijn achtste verjaardag, mijn eerste verjaardag na onze verhuizing, toen alle jongens van mijn klas waren uitgenodigd. Aan tafel was alles zo goed verlopen, we hadden zelfs gek gedaan door een rietje in de gelei te steken en die op te zuigen. Maar later, nadat we op mijn kamer hadden gespeeld, had iemand het plastic overtrek om mijn matras ontdekt, en Patrick riep: 'Heb je soms ook een luier om?'

Toen was mama opeens in de deuropening verschenen. 'Arnold Schwarzenegger plaste vroeger ook in bed,' zei ze.

Dat was vast om mij te helpen, maar ik werd zo boos. Het was niet stoer om in bed te plassen. Dat was naar, alleen maar naar. De woorden in bed plassen sneden dieper dan een mes, een sabel, een scheermesje. Waarom had ze haar mond niet gehouden?

'Ga weg,' zei ik tegen mama en draaide me om. 'Dit is een jongenskleedkamer.'

Ik keek naar mijn plaats. Er lag een donkerblauw met wit tenue over mijn tas. Ik kleedde me om en liep naar buiten. Niemand leek me op te merken toen ik helemaal aan het uiteinde van de reservebank ging zitten.

9

De wedstrijd liep goed en de wedstrijd liep slecht. Vlak voor de pauze wenkte Sven naar iemand aan de vleugel. 'Wissel. Nu is het jouw beurt, Juist.' Hij gaf me een duwtje in mijn rug en ik stond op het veld.

Het liefst zou ik als een speer zijn teruggerend. Het wemelde van de spelers, en ik begreep niet of we aanvielen of verdedigden. Wat gebeurde er eigenlijk. Stond ik buitenspel? Ik tuurde naar de zijlijn. Daar stonden mama en papa en een stuk of elf andere ouders. Viel het hun op dat ik de kleinste van het team was? Ook al had ik mijn shirt in mijn short gepropt, ze begrepen ongetwijfeld dat hij tot ver op mijn dijbenen reikte.

'Achter de bal aan!' riep Sven.

De bal, ja. Die rolde als een grauwe krielaardappel heen en weer tussen twee groepen naar het middenveld. Maar daar ging hij aan de haal. Ik begon te rennen. Ze zouden in ieder geval niets op mijn conditie aan te merken hebben. Ik haalde de bal in, dribbelde om een speler van het andere team heen. 'Schiet!' schreeuwde iemand. Ik schieten! Nu al? Oké, vooruit dan maar.

Ik schoot naar voren en de bal vloog recht in de tronie van de keeper.

Hij kreeg een bloedneus, het spel werd stilgelegd en er volgde heel wat heen en weer gepraat of de reservekeeper moest invallen of niet. Het eind van het liedje was dat de eerste keeper bleef, terwijl twee stukjes wc-papier uit zijn neus staken.

Opeens had ik een megakans. De keeperneus was net weer een beetje beginnen te bloeden, en hij zwaaide naar de coach toen ik op volle snelheid met de bal aanstormde. Het doel was zo goed als open. Maar precies op het moment dat ik zou schieten, hoorde ik Patricks stem achter me op het veld. Wat zei hij? Toch niet weer iets over plassen? Opeens werd ik vreselijk bang. Stel je voor dat ik me er nu onder plaste! Hier. Recht voor het doel, terwijl iedereen naar me keek! Stel je voor dat de waterstraal naar buiten spoot op het moment dat ik de bal wegschopte!

Mijn rechtervoet was plotseling verlamd. Slap, dood, als een opgehangen rat. Verdikkeme. Barst. Schop, zeurde ik tegen mezelf. Maar ik kon niet. Wat als ik zou plassen?

En hopla, toen was de bloedneus weer op zijn plek en plukte de bal naar zich toe. Toch denk ik dat we hebben gewonnen door de wc-papierreepjes, want in de tweede helft liet hij negen doelpunten door, en we versloegen hen met 13-11.

'Ik hoop dat hij geen hersenletsel heeft opgelopen,' zei ik tegen papa op de terugweg.

'Ik denk niet dat je je zorgen hoeft te maken,' zei papa. 'Maar hij had de andere keeper moeten laten spelen.'

Daar was ik het niet mee eens, want dan was het niet zeker geweest dat we hadden gewonnen.

Hoewel ik geen doelpunt had gemaakt, zei Sven na afloop dat ik goed was geweest in het veld. 'Je hebt het spel op dreef gehouden,' zei hij later. 'De volgende keer ben je middenvelder.'

De volgende wedstrijd was uit. Niemand van thuis kon rijden, want mama was naar Japan vertrokken, waar ze recepten ging zoeken voor het kookboek dat ze aan het schrijven was, en papa bereidde een lezing voor 300 economen in Helsinki voor.

Gelukkig was Patrick een van de jongens die al met de metro vooruit waren gegaan. Ik klauterde de auto van de stiefvader van Thomas in, en de hele weg zei ik tegen mezelf: ik plas niet voor open doel, ik plas niet voor open doel en het grootste deel van de tijd geloofde ik daarin, maar zo af en toe voelde ik de paniek als een pijl door mijn borst. Als ik het nu toch deed?

Verdraaid, wat was ik dom geweest om over een fanclub, meisjes in negligé en al die dingen te dromen.

Die keer nam ik geen risico. Ik had me al van tevoren omgekleed. Beenbeschermers, kousen, short en ja, zelfs het shirt dat mama nog had kunnen wassen voordat ze vertrok.

'Vandaag moeten we flink ons best doen, jongens,' zei Sven toen we in de kleedkamer bij elkaar waren. 'Dit wordt een harde wedstrijd.'

'Verleden jaar verloren we met 15-2,' zei iemand.

'Ja, maar toen stond Ben niet in het doel,' zei iemand.

'En ik had mijn been verstuikt,' zei Patrick.

Iedereen keek naar hem, terwijl hij met dat gat tussen zijn tanden stond te lachen. Dat was zo groot dat hij er op een schoolreisje een worm doorheen had getrokken. Ja, hij was de beste. In vier wedstrijden had Patrick een hattrick gemaakt. Dat was een record. Niemand in het team kon tegen hem op.

'Vooruit! Weten jullie wat de tactiek is?' vroeg Sven en liep een rondje door de kamer met zijn buik bol onder zijn trainingsjack. 'Ja,' antwoordde iedereen, ik ook, hoewel ik geen idee had wat ik moest doen, alleen dat ik middenvelder zou zijn. Betekende dat dat ik spits of voorstopper was?

Ik besloot het niet te vragen. Dat zou vast dom klinken. Ik moest gewoon gaan spelen en werken tot ik de Kuala Lumpurkleur op mijn gezicht had. Opeens voelde ik me klaar voor de strijd. Als Tweemeter nu maar zou komen, zou het misschien goed gaan.

Jep.

Ik ging op een krukje zitten om de veters nog een keer te strikken. Een flinke dubbele knoop, zodat ik niet struikelde. Maar getsie…

Patrick stond voor me. Ik voelde mijn hart sneller kloppen. Waar was Sven! Ik keek bliksemsnel om me heen. Waar was hij gebleven?

Patrick keek me grijnzend aan. Hij hield zijn handen als een schaal tegen elkaar, het drupte op de vloer. 'Ben je je luier vergeten?' lachte hij en gooide het water recht in mijn schoot.

Ik sprong op. Begon als een gek met honderd kilometer per uur met mijn handen mijn short af te vegen. Was ik nat? Ja. Nee. Ja, toch! Ik had een donkere, inktachtige vlek midden in het kruis. Grote genade. Ik greep in de tas op zoek naar een handdoek. Begon te wrijven en te wrijven, maar het hielp geen zier. Iedereen kon zien dat ik van voren nat was.

'Juist!' riep Sven van buiten. 'Je moet opschieten.'

Op dat moment voelde ik dat het water door de stof heen trok. Bah. De short voelde aan de voorkant als koude vissenhuid. Ik stond op het punt in tranen uit te barsten. Oo, waarom was Tweemeter niet hier! Hij had altijd een oplossing. Beste Tweemeter, bad ik in gedachten. Antwoord als God, antwoord als Jezus, wat moet ik nu doen?

Een antwoord schoot mijn hoofd binnen. *Trek je shirt over je short heen.*

Ik trok het shirt uit de short. Hij was lang. Voor deze ene keer was ik blij dat ik klein was. Het shirt bedekte het hele natte deel.

Alle anderen hadden hun shirt echter bij hun short in gepropt. Zou het publiek doorhebben dat ik iets verborg?

Nee, dit was mijn enige kans. Ik trok aan het shirt als een jurk en rende naar de anderen. Nu moest Tweemeter er zijn. Nu moest hij er staan, lang en vrolijk met zijn paardenstaart in top, en roepen zodat ze het in de stad konden horen. 'Hup, Juist!' moest het klinken. 'Hup, Juist,' dan zou het me misschien lukken.

10

Het andere team zag er nogal eng uit. Verschillende jongens droegen een rekverband, en de langste liep als een kameel te spuwen.

'Op jullie plaatsen, jongens!' riep Sven, en op dat moment verscheen de scheidsrechter. Hij stapte over het gras met zijn o-benen in een zwarte scheidsrechterbroek. Die deed aan de onderbroeken van papa denken, alleen met een extra kruisstuk. 'Juist,' brulde Sven. 'Waarom sta je te treuzelen? Opstellen!'

Maar waar moest ik zijn? Was ik voorstopper of spits? En het midden, waar was dat eigenlijk? Daar stonden immers al een paar jongens. Ik ging zo ver mogelijk van Patrick the hattrick af staan. In mijn benen krioelden tienduizend mieren. Als Tweemeter nu maar kwam!

Aan de zijlijn stond echter niemand van twee komma nul, nul meter. Daar stond alleen een groepje mama's, en een paar kinderen met een fopspeen. Een man kwam op het laatste ogenblik aanslenteren. Hij liep met zijn handen diep in zijn zakken, alsof zijn jongeheer het koud had. Ik keek naar mijn short, kon je de natte vlek zien?

Precies op dat moment stak de scheidsrechter het zilveren fluitje in zijn mond. Een rollend geluid sneed over het veld, het plopte in mijn dijbenen, mijn hart maakte een sprongetje, jippie, de wedstrijd was begonnen.

Het andere team was nogal ruw. Veel ruwer dan ik had gedacht. Een groot, schoppend kluwen armen en benen, en toen... hopla had de lange kameelspuger de bal in zijn eentje. Ik ging achter hem aan. Ik, met de beste conditie van het team. Maar opeens dacht ik aan mijn short, en aan mijn shirt, woei dat omhoog als ik rende? Leek het alsof ik in mijn broek had geplast?

Ik bleef staan en drie passen voor me zette de spuger aan met het linkerbeen en plaatste de bal recht in het doel. Jeetje, wat een doelpunt, en nog met het linkerbeen ook! Goeie genade. Hier moest wat tegen gedaan worden.

'In de aanval!' brulde Sven. 'Naar de zijkanten, maak het spel breder.'

Patrick kreeg een lange bal en sprong op, maar miste. Uittrap door de keeper. Op het middenveld. Ik stopte de bal met de binnenkant van de voet, en maakte me klaar voor een mega-aanval, maar shit, iemand zette zijn noppen in mijn dijen. Een flinke trap. Auu! Ik hinkte in het rond, terwijl ik contact probeerde te krijgen met de scheidsrechter. Maar typisch, hij was natuurlijk stekeblind. Auuu! Ik jammerde weer, maar hij was ook stokdoof. Op hetzelfde ogenblik scoorden de anderen weer.

0-2

0-3

0-4

'Slapen jullie soms!' jammerde Sven vanaf de zijlijn.

Patrick kromde zijn rug. Als een panter schoot hij door hun verdediging heen. Maar recht tegen de paal.

Meteen was die verdraaide kameelspuger weer op weg

naar ons doel. Maar daar stond Thomas. Thomas was niet een van de snelsten, maar hij kon goed zijn benen strekken. Goeie grutten. De kameelspuger maakte een dubbele salto en landde plat op zijn rug. Nu had de scheidsrechter zijn ogen niet in zijn zak. Hij blies zo dat het kleine houten kogeltje haast uit het fluitje vloog. Strafschop!

Toen was er al een hele opschudding voor het doel. De kameelspuger lag te rollen en kreunde als een prof, en hun coach kwam met het ziekenkoffertje en ijsspray en zakjes ijs aangespurt. Smak, smak. De coach gooide de armen om zijn nek en droeg hem als een kind weg. Nu spuwde hij niet meer, nu kwijlde hij.

Nu maken we kans, dacht ik.

De bal werd op de stip op zijn plaats gerold. Iemand van het andere team maakte zich gereed. In ons doel stond keeper Ben voorovergebogen op de plaats te trippelen.

En op hetzelfde moment hoorde ik het. Ergens op straat. Met megaluidsprekers in zijn stem: 'Hup, Juist, nu schieten. We wachten op meer doelpunten!'

Tweemeter. Ik kon wel doodgaan van blijdschap. Daar kwam hij tevoorschijn met al zijn twee meters, paardenstaart en de rest. 'Eerst tegen de paal, dan in het net, tot de keeper helemaal gek wordt.'

Yes, yes. Ik voelde hoe mijn elastische spieren in mijn benen zich strekten. Ik voelde hoe de gelukshonger vanuit mijn voetbalschoenen recht omhoog mijn dijbenen in trok. Ik moest scoren, ik moest wel, mijn hele lijf trilde, zo graag wilde ik de bal in het net schoppen, en ik rende naar voren met kuiten barstensvol spieren, zo vol als achterhammen en kogelbiefstukken en toen... toen zette ik me schrap, haalde perfect uit en... Plotseling zag ik dat Bens kin op zijn borst hing. Het was alsof hij zou flauwvallen. Langzaam draaide hij zich om en keek naar mijn kanonschot dat recht over de lat vloog.

O, ja. O, shit.

Op hetzelfde ogenblik kwam de scheidsrechter op me af fladderen, een enorme, zwarte, boosaardige vleermuis. Brrr. Er spoot spuug rond het fluitje. Uit zijn zak trok hij een rode kaart. Hij keek er even naar voordat hij dieper graaide en ook een gele te voorschijn trok.

Had ik me daar een gele en een rode kaart gekregen! Alleen maar omdat ik de strafschop van de anderen had genomen? Maar het was immers geen doelpunt!

Ik keek naar coach Sven, ik keek naar Tweemeter. Was ik het veld uit gestuurd? Levenslang! Als dit het einde was, zou ik nooit prof kunnen worden...

'Je mag het spel niet zo verstoren, begrijp je!'

De scheidsrechter sprak tegen me met een adem die rook naar koolstamppot en jus. Er liep speeksel langs zijn mondhoek van het harde blazen. Oef, wat speet me dat. Zoveel spuug en speeksel in een wedstrijd! Zou er bij Manchester U. net zoveel gekwijld worden? Moest ik alvast gaan sparen?

'Je krijgt een waarschuwing,' zei de scheidsrechter en hield de gele kaart vlak voor mijn gezicht.

'Krijg ik er geen rode bij?' vroeg ik.

Hij schudde het hoofd.

Ik wierp een blik op Tweemeter. Hij stak zijn duim omhoog. Dat was het teken dat het verder goed zou gaan.

11

De rest van de eerste helft zat ik op de reservebank. Dat was zeker de straf omdat ik bijna in eigen doel had geschoten. Wat een oelewapper was ik, wat een kluns. Stel je voor dat ik had gescoord!

Bij de pauze stonden we met 3-9 achter. Coach Sven stak zijn buik onder het trainingsjack naar voren en zei: 'Jongens, dit is niet goed genoeg.'

We moesten naar de kleedkamer om de tactiek te bespreken, maar ik wist weg te sluipen. Geen sprake van dat ik nu in de buurt van Patrick wilde zijn. Hij zou vast voorstellen dat ik uit het team werd geschopt. En naar Verweggistan werd gestuurd, waar geen mens weet wat voetbal is, en iedereen een superoen is en hartstikke gek en met een natte broek loopt, net als ik.

'Juist, Juist!' zei Tweemeter en streek me door het haar. 'Dit herstellen we toch?'

'We?' vroeg ik en hoorde zelf dat het vreselijk stuurs klonk. Mijn mond, keel en maag leken wel vol met zuur slijm te zitten. Dat je je zo stom kon gedragen!

'Vergeet het,' zei Tweemeter. Maar hij klonk ook niet erg vrolijk. 'Ik ben de halve stad doorgefietst. En heb mijn afspraak met Signe om naar de film te gaan afgezegd. Ik ben niet van plan om op te geven!'

Maar ik wel.

'Kun je alsjeblieft naar de kleedkamer gaan?' smeekte ik. 'Om mijn tas op te halen.'

'Je mag nu niet opgeven,' zei Tweemeter.

Hij zakte door zijn anderhalve meter lange benen en ging op zijn hurken zitten. Nu was hij net zo groot als ik. 'Heb je het ritueel uitgevoerd?' fluisterde hij.

Het geluksritueel?

Ik dacht na. Had ik dat gedaan? Ik had eraan gedacht voor ik vertrok, maar...

'Nee,' zei ik.

'Kom, dan doen we het nog een keer,' zei Tweemeter.

Oké dan. We kropen achter een minibusje en ik trok mijn rechtervoetbalschoen uit.

Een kus voor goede passes.

Een kus voor goede kansen.

Een kus voor...

'Rustig aan.' Zei Tweemeter. 'Noem de doelpunten. Meervoud.'

Ik knikte en drukte mijn lippen tegen de zool. 'Voor meervoudige doelpunten.'

'En verder,' zei ik en keek opzij, 'heb ik een vierde, maar dat is zo pijnlijk.'

'Dan fluister je het alleen in jezelf,' zei Tweemeter. 'Geheimen hebben is een mensenrecht.'

En één voor geheimen, zei ik bij mezelf. Maar dat was fout! Het moest toch een kus zijn voor geen geplas voor het doel.

'O,' zei ik en keek ongelukkig naar Tweemeter. 'Ik heb het fout gezegd.'

73

Tweemeter trok een paar keer aan zijn paardenstaart, zoals hij altijd doet als hij over moeilijke zaken moet nadenken. 'Ik denk dat er dan iets anders goeds gebeurt,' zei hij. 'Iets waarvan we nog niet weten wat het is.'

Opeens ontdekte ik dat mijn short weer droog was. Jippie! Nu voelde ik dat de elastische spieren zich spanden en weer ontspanden. Ik was klaar voor de strijd.

Midden in de tweede helft kwam ik weer in het veld. Ik had een betere conditie dan ooit, en de gelukskracht daverde door mijn voeten omhoog. 'Hup, Juist!' juichte Tweemeter en ik voelde dat ik kon dribbelen, tackelen; ik danste door de verdediging heen en schoot. Goal! Wozes! Ik had gescoord. Tweemeter trok snel zijn trui uit hoewel het ijskoud was en zwaaide er als een vlag mee boven zijn hoofd. 'Hup, Juist, doorgaan.' Toen haalde ik opnieuw uit en scoorde nog een keer. Yeah, yeah! Coach Sven schaduwbokste van plezier in de lucht en mijn benen konden naar de maan lopen, opeens was ik er weer doorheen, ik maakte een schijnbeweging en knalde de bal recht in het net. Drie doelpunten op rij! Sodeju! Hattrick! Jezus dank, God dank, dank iedereen die helpt. Hattrick! Drie doelpunten op rij!!! Ik had zin om door het gras te rollen, in de mat te bijten, een spreidsprong te maken en ten hemel te stijgen. Hallo, Jezus. Hallo, God. Yeah! Yeah!

Helaas verloren we met 19-8, maar ik zweefde de kleedkamer binnen. Wat maakte het uit of Ben een stumper was in het doel, en pas in beweging kwam als de bal al in het net zat. En wat maakte het uit of Patrick egoïstisch was geweest en twintig keer naast had geschoten. Niks en niemendal. De dinosauriërs van de concurrentie hadden ons verslagen, maar wat zou dat? Ik had een hattrick gemaakt, jeetje nog aan toe.

Onder de douche begon ik *Kling klokje klingelingeling* te zingen. Ik wist dat het een kerstliedje was, maar ammehoela, ik was zo vreselijk blij. 'Langs berg en dal…' De anderen keken me vreemd aan, we hadden immers verloren. '…Willen wij u danken…'

Opeens stond Patrick daar. Zijn ogen stonden donker. 'Waarom sta je zo te kwetteren?' vroeg hij en bracht zijn arm naar de douchekraan. Hij draaide naar links en het water werd ijskoud.

'Oeah!' schreeuwde ik en rende weg.

'Denk niet dat je iets voorstelt,' zei Patrick. 'Kleine pissebed.'

12

'Nou, hoe is het gegaan?' vroeg papa toen ik thuiskwam.

Ik viel in een stoel neer. 'Gaat wel. Ik heb ook nog een hattrick gemaakt.'

'Echt waar?' vroeg papa. 'Gefeliciteerd.'

Gefeliciteerd? Hij zei het niet bepaald enthousiast. Het klonk eerder alsof hij het tegen een knaap had die hij bijna niet kende. Een kleine juichkreet had er toch wel af gekund, of op zijn minst een schouderklopje. Maar hij was al volop met zijn paperassen bezig. Stoof in het rond met zijn overhemdpanden buiten zijn broek en praatte halfluid in het Engels. Ik gaf op en ging naar mijn kamer. Toen pas besefte hij dat ik thuis was. 'Mevrouw Bolat heeft gebeld,' riep hij. 'Ik heb gezegd dat je rond zes uur thuis zou zijn.'

Mevrouw Bolat. Dat betekende een ommetje met King en twintig kronen. Ik had een lange plastic buis waar ik mijn muntstukken van twintig kronen in stopte. Ik had er nu vierhonderdtachtig. Dat zou vijfhonderd worden als ik erin zou slagen dat hoopje haar lang genoeg uit te laten.

'Het beste,' mompelde ik en liep de trap af. Het was saai als mama niet thuis was. Er leek iets in huis te ontbreken. Hoewel papa wel met me stoeide en een racewedstrijd op de computer met me speelde, leken alle kamers leger. Gelukkig, dacht ik. Als papa morgen naar Finland en de driehonderd economen vertrekt, komt Tweemeter hier. Dat zal leuk worden. Dan eten we alleen maar worstjes en spelen we gitaar. Niet alleen alsof, maar op het echte instrument van opa met stalen snaren. Aan opruimen gaan we geen tijd verspillen, alleen de chips zuigen we op met de stofzuiger, want dat knispert zo leuk.

'Maak het niet te laat,' riep papa me na.

Ik antwoordde niet, trok de rits van mijn jas dicht. Tweemeter had zelfs met bijna bloot bovenlijf staan juichen! Terwijl het nu 's nachts bijna vroor. Ik rilde alleen al bij de gedachte.

In het appartement van mevrouw Bolat leek het wel de binnenlanden van Kongo. Toen ze de deur opende, walmde de tropenhitte over me heen, samen met de geur van stokvis en een kortharige chihuahua.

'Stinkt het hier?' vroeg mevrouw Bolat en pakte de dennengeurspray.

'Een beetje,' zei ik en hoopte dat ze geen gedachten kon lezen. Haar hal zat onder de hondenharen, het was ongelooflijk dat een huisdier ter grootte van een rat je neusgaten zo kon irriteren. Ik had bijna behoefte aan een paar reepjes wc-papier.

'Dat is zo weer voorbij,' zei mevrouw Bolat en piefte en pafte met de spray in het rond. In die jurk van haar leek ze wel wat op een heks. Dun haar, kromme rug en een heel mager lichaam. 'Kijk eens aan,' zei ze en spoot een lange straal in het trapportaal. Als de conciërge nu langs zou komen, zou hij vast denken dat mevrouw Bolat een rij dennenbomen in haar appartement had, en geen pissige schoothond.

'Ik heb vandaag een interessante brief gekregen,' zei mevrouw Bolat toen ze klaar was. 'Van de vrouw van de neef van mijn overleden man.'

Ik zakte in de zachte leren bank weg, het voelde bijna alsof ik in de bek van een enorm beest verdween. Hier moest ik altijd zitten tot mevrouw Bolat klaar was met vertellen over iets wat ze op haar hart had, terwijl ze me voerde met zwart geworden bananen en slappe koekjes die één kleffe boel waren geworden.

'Ze hebben een rondreis gemaakt,' ging ze verder. 'De vrouw van de neef van mijn overleden man en haar man.'

Ze stopte en dacht na. 'Nieuwe man,' zei ze. 'De neef is dood. Maar waar was ik gebleven? O ja, in Mexico. Je weet toch dat Kingjonkie daarvandaan komt?'

Kingjonkie was de troetelnaam van King. Ik begreep niet waarom ze hem King had genoemd. Dat was zo oubollig. Hij leek immers op een grillkip op dunne pootjes. Nu stond hij tegen de badkamerdeur te krabben.

'Wacht maar, ik kom al,' zei mevrouw Bolat, en opende de deur. In de badkuip had ze mos, takken en stenen, zodat King zou denken dat hij buiten was en naar een bot aan het zoeken.

'En daar ontdekte ze opeens iets bijzonder interessants,' zei mevrouw Bolat, die duidelijk in de badkamer met zichzelf aan het praten was geweest. 'Tijdens religieuze feesten offerden ze mensen door ze uit hoge tempels te gooien.'

'En dat!' ging ze ijverig verder, 'verklaart mijn hoogtevrees.'

''Erkelijk?' was het enige wat ik wist uit te brengen met mijn verhemelte vol plakkerige koekjes.

'Werkelijk!' zei mevrouw Bolat en ze was nu echt goed op dreef. Ze wist zeker dat ze in een van haar vroegere levens in Mexico had gewoond.

'Hoe lang is dat geleden?' vroeg ik.

'Laten we zeggen zo'n zeshonderdvijftig jaar geleden.'

Poeh, dat stelde toch niets voor. Ze was immers dertigduizend jaar geleden een bosjesman geweest. Dat dacht ze tenminste. Mevrouw Bolat had namelijk een gedegen studie van haar vroegere levens gemaakt. Eén keer per maand plaatste ze King in een kennel en ging naar een man in Maridalen die haar naar allerlei soorten spannende en afschuwelijke levens terug hypnotiseerde. Nu had ze door het lezen van de brief uit Mexico het gevoel gekregen dat ze als jonge maagd door middel van een dodelijke val aan de goden was geofferd.

'Was het meer dan honderd meter?' vroeg ik.

'Wat?' zei mevrouw Bolat.

'De val?'

Ze dacht na. 'Ik neem aan dat het zoiets was als hier vanaf de derde verdieping naar beneden. Eigenlijk zou ik dit appartement van de hand moeten doen, Juist. Ik zou op de begane grond moeten wonen, dat heb ik altijd geweten.'

'Ga naar zee,' stelde ik voor. 'Dan kun je benedendeks met een patrijspoort wonen. Dan hoef je niet bang te zijn om naar beneden te vallen. Haal je Kuala Lumpur in drie seconden.'

'Yes, sir,' zei mevrouw Bolat en begon met haar nagels op

de tafel te roffelen. Wijsvinger en middelvinger tikten maar raak; kort, lang, lang, kort, kort, kort, lang. Ik kon zelfs niet stiekem op de secondewijzer kijken, toen was ze al klaar met haar morsebericht.

'Kijk!' zei ze. 'Ik deed het binnen de tijd, nietwaar?'

Mevrouw Bolat was supersnel met morseseinen, ook al is het lang geleden dat ze op zee was, met een lakriem om haar middel en eigen tanden. Als ik het haar vraag, tikt mevrouw Bolat namen uit de hele wereld in morsetekens op de tafel. Calcutta. Bahama's. Amsterdam. Kort, lang, lang, kort, lang, kort.

'Zorg ervoor dat Kingjonkie lang doet,' zei mevrouw Bolat zoals gewoonlijk toen ze hem de riem aandeed. Ze knipoogde alsof we een afspraak hadden. Ik knikte. Lang heeft niets met morse te maken. In ieder geval niet direct. Plassen is kort, de grote boodschap is lang, alleen had mevrouw Bolat die dag geen hondenpoepzakken meer. 'Laat hem maar lang doen in indianenland,' zei ze. 'En bedek het als het te openbaar is.'

Openbaar? Ik had over de Openbaringen in de godsdienstlessen geleerd, maar misschien bestond er geen verband?

Toen ik het mevrouw Bolat vroeg, lachte ze zo dat haar gebit rammelde.

'O, Juist toch,' zei ze en streelde me over mijn wang. 'Wat ben jij in een goed humeur.'

Samen propten we de verboden King in het boodschappen-net. Dat was een perfecte schuilplaats, want het net was aan de buitenkant bedekt met een heleboel bruine houten parels, en met King onderin leek het alsof ik alleen maar een pond boter uitliet.

'Geniet van de frisse voorjaarslucht,' zei mevrouw Bolat en liep met ons mee naar de hal.

Push. Ik kreeg een flinke spuit dennennaalden in mijn nek. Bah. Waarom kon ze niet wat beter richten? Nu moest ik mijn haar wassen, anders zou ik morgen op school stinken als een kerstversiering. Maar vooruit, de lift! Op dat moment zag ik dat de lift op weg was naar de derde. Snel drukte ik op de knop. De deur ging open. Pling. Daar stond ze, wow, ik keek recht in de langste oogwimpers van de wereld. Het duizelde me. Ik moest een keer extra met mijn ogen knipperen. Het meisje in de lift was zo mooi dat ik appelmoes in mijn benen kreeg, zuur, zoet en boterzacht. Het was onmogelijk een stap te verzetten.

Smak. De deur gleed weer dicht. En ik dan? Wacht! Ik drukte op de knop alsof mijn leven ervan afhing en Pling! Daar ging de deur weer open.

De vrouw naast het meisje keek geïrriteerd. Ze had kortgeknipt haar, ongeveer net zo lang als de vacht van King, en een bril die met een dikke, zware viltstift op haar huid getekend leek. Zou dát de moeder zijn?

Ik sprong naar binnen en de deuren gingen weer dicht. Met een zucht ging de lift naar beneden.

'Hm,' zei de vrouw opeens. 'Ruikt het hier naar Wunderbaum?'

Ze snoof in de lucht.

'Wat is Wunderbaum?' vroeg het meisje.

'Dat is een luchtverfrisser,' zei de vrouw. 'Heb je die kleine kerstboompjes niet gezien…'

'Het zijn dennennaalden,' onderbrak ik haar en had mijn tong wel af willen bijten. Helemaal eraf. Want oeps, daar stond ik met 1000 Watt in mijn gezicht. Het brandde zo dat ik dacht dat de huid eraf zou vallen. Waarom had ik zo nodig iets moeten zeggen? Stommeling! Ik tuurde strak naar de vloer. IJsbergen. Antarctica. Stalen snoet. Godzijdank, ik voelde dat de blos begon te verdwijnen.

Maar wat moest ik nu? Ik kon hier toch niet gewoon met hangende armen als een orang-oetang staan. Ik begon het boodschappennet met King heen en weer te zwaaien.

Toen ik weer opkeek, glimlachte het meisje naar me. Wat? Glimlachte ze tegen mij, de tomaat, de pioenroos, de kreeft? Ja, warempel. Ze glimlachte. Weliswaar niet met haar tanden, maar het was een glimlach, haar mondhoeken stonden omhoog. 'Het beweegt,' zei ze.

Had ze het tegen mij? Of tegen de vrouw? Ik durfde geen antwoord te geven. Geen sprake van. IJsbergen, zei ik tegen mezelf. Voor alle zekerheid. Stalen snoet. Antarctica.

Toen zag ik dat King in het boodschappennet bewoog. Hij jogde op de plaats rust, hij had een reuzenconditie. Het meisje glimlachte nog meer tegen me. 'Jeetje,' zei ze.

Voorzichtig trok ik mijn ene mondhoek op. Op dat moment stopte de lift.

Ze gingen naar buiten en ik volgde. 'Jeetje,' had ze gezegd. Dat was fantastisch. En dan met zo'n stem. Je raakte er bijna van onder hypnose. Niet dat gedoe waar mevrouw Bolat zich mee bezighield, maar meer in de stijl van Donald

Duck. Word een kuiken, zeg piep. Word bissie bissie klik. Kip en hopla, fallera. Nu zou alles goed komen, hoera! Met haar wil ik trouwen.

Ik volgde hen het flatgebouw uit. Zelfs vanaf de achterkant waar de oogwimpers en de glimlach niet te zien waren, was ze zo lief dat ik haast van mijn stokje ging, ja, ik kon als een gebakken ei op het asfalt gaan liggen. Ik kon nauwelijks op mijn benen blijven staan.

Ik liep drie passen achter hen. Langs twee bloemenstalletjes en over het voetpad in de richting van de parkeerplaats. Ik wist niet helemaal wat ik moest of wilde, behalve dat ik wilde trouwen, maar daar was nu nog geen sprake van. Je moet een aanvraag indienen bij de koning, herinnerde ik me opeens, als je wilde trouwen met je nichtje of als je heel erg jong was. In vroegere tijden dienden ze een gecombineerde aanvraag in, had mama verteld, want toen was bijna iedereen familie van elkaar. Maar dit meisje was in ieder geval geen nichtje! Ze was eerder een engel op gympen.

Plotseling gingen het meisje en de vrouw uiteen en liepen ze allebei hun eigen kant op. Hoppa. Ik staarde recht in de kofferbak van een auto. Au! Was ik hen helemaal tot aan de auto gevolgd? Wat moest ik nu dan doen? Ik moest iets bedenken, maar wat? Lieve God, lieve Jezus... Lieve Tweemeter.

'Hallo jij!' hoorde ik. Dat was de vrouw. 'Wil je iets vragen?'

'Ik? Eh, ja, nee...'

Ik was betrapt. Ze dachten vast dat ik een imbeciel was. Een stomme idioot, een misdadiger in de dop die mensen volgde om ze te beroven.

'Ja, eigenlijk wel,' zei ik en opende het boodschappennet. 'Ik vroeg me af of jullie deze vergeten zijn?'

Ik moest toch íets verzinnen.

Onder in het net keek King me manvijandig aan.

Het meisje kwam aangelopen. Het leek wel alsof ze hoopte dat ik tegen haar zou gaan praten. 'Mama, moet je toch eens kijken. Een hond! Wat een kleintje.'

De moeder schudde haar hoofd en dook de auto in. 'Kom nu,' zei ze.

'Die is dus niet van ons,' zei het meisje en stond doodstil terwijl ze tegelijk met alle wimpers naar me knipoogde.

Sodeju!

'Weet je,' stamelde ik. 'Het is hier verboden voor honden, en dus dacht ik dat jullie hem misschien waren vergeten.'

'Helene!'

Haar moeder riep haar vanuit de auto.

'O.' Het klonk als een zucht uit haar mond. 'Ik moet gaan.'

Ze liep op geluidloze gympen naar de auto. Ze leek wel stukjes vlakgom als zolen te hebben. Of iets anders zachts. Engelenrubber, dacht ik.

'Het beste,' zei ze.

Het beste, wilde ik roepen, maar ik kon geen woord uitbrengen. De hypnose was nog dieper doorgedrongen. Hij had mijn hart bereikt. Helene heette ze. Ik kon maar net een stap opzij doen toen de auto achteruitreed.

13

Toen hun auto van de parkeerplaats reed, gebeurde het mooiste wat er kon gebeuren. Helene draaide zich om op de achterbank en zwaaide.

Mijn rechterarm schoot de lucht in. Het boodschappennet met King viel op de grond. Maar wat zou dat. Het beste, het beste, tot ziens. Ik zwaaide hard, maar zorgde wel dat het geen wildemansgezwaai werd. Ze moest niet denken dat ik een malloot was, nee, het moest er eigenlijk uitzien alsof ik op Wembley stond en licht met mijn arm zwaaide nadat ik de F.A.-cup had gewonnen.

De auto zoefde de rotonde voor het centrum op en verdween. Pas na een tijdje stopte ik met zwaaien en kwam ik weer tot mezelf. Ik pakte het boodschappennet op, het voelde vreemd licht aan. Nu is King niet bepaald een vetzak, hij komt uit in het vlieggewicht, maar nu was het net leeg.

Verdorie. Kingjonkie, die kniesoor, was ervandoor gegaan.

Ik wilde hem net gaan roepen toen ik aan de conciërge dacht. Als hij nu eens langs flaneerde en ik stond King, King te joelen. Zou hij denken dat ik een kameraad of broertje riep? Waarschijnlijk niet, hij zou meteen verboden hond ruiken en me tot op de derde verdieping achtervolgen.

Ik rende naar de struiken en de kleine, lage dennenbomen rond de parkeerplaats. De vluchteling moest in de buurt zijn. Er was niet meer dan een halve minuut voorbij-gegaan.

In de struiken vond ik alleen chocoladepapiertjes, een winterhandschoen van verleden jaar plus drie condooms. Ze leken op het omhulsel van witte saucijzen met slakkenslijm erin. Ze zagen er beslist gebruikt uit!

Maar waar was King?

Zou hij de weg opgelopen zijn?

Stel je voor dat hij daar lag, platgedrukt met een wiel-spoor op de rug.

Stel je voor dat hij tot moes was gereden!

Ja, toen had ik het te kwaad.

Ik holde de weg op, maar stopte. Als hij overreden was, had ik toch gierende remmen moeten horen?

Als ze tenminste niet dachten dat het een bruine papieren zak was die iemand uit het raampje van een auto had gegooid.

Arme King. Ik kon het niet geloven. Was hij echt dood? Nee, hij was er vast alleen maar tussenuit geknepen. Indianenland, bedacht ik opeens, hij moest het bos voor het flatgebouw zijn ingegaan. Misschien rook hij mijn sporen van vorige tochtjes en rende hij tussen de bomen heen en weer om een drol te kunnen draaien?

Ik draaide me om en rende naar de helling. Dit was belangrijk. Als ik King niet vond, zou mevrouw Bolat zich van verdriet van het balkon werpen.

'King!' riep ik in indianenland, want hier beneden kon de conciërge me niet horen. 'Kom tevoorschijn! Kingjonkie, waar ben je?'

Maar nog geen piepje. Ik begon te zweten. Wat een pech. 'Kom hier!' schreeuwde ik.

Op dat moment zag ik twee figuren in de grote boom met de hut. Ze klommen ruggelings naar beneden langs de planken die langs de boomstam waren gespijkerd. Het waren de grote broer van Patrick en een andere jongen.

Wat deden ze hier? De hut was van een paar kleine kinderen. Waren ze keet aan het schoppen?

Ja. Ik voelde pijn in mijn buik. Die twee waren nog erger dan Patrick. Zijn broer was op school met een mes betrapt. Stel je voor dat ze King aan een padvindersmes hadden geregen!

'King, King, Kingjonkie!' aapte Patricks broer me na. 'Ben je niet goed snik, of zo?'

Hij deed een paar stappen vooruit. 'Ha ha,' lachte hij. 'Kijk eens, is dat niet het hondje uit de klas van mijn broer! Hij grijnsde. 'De sint-bernard. Laat je jezelf uit?'

Ik antwoordde niet. Doe maar alsof je niets hoort, dacht ik. Loop gewoon verder. Mijn hart ging sneller kloppen, nu bonkte het zo snel dat ik bang was dat het uit elkaar zou scheuren. Dit was onrechtvaardig! Ik had hun niets gedaan. Ik kende hen zelfs niet. Achter me hoorde ik hun voetstappen. Een paar takken kraakten. Ze kwamen dichterbij. Nu bonkte het ook in mijn oren, vogelhartkloppingen, jammerend, gek van angst. Dat mijn hart op zulke verschillende manieren kon kloppen. Helene, dacht ik, en ineens werd ik woedend, witheet van woede. Wat verbeeldden ze zich wel, zomaar mijn humeur te bederven, terwijl ik nog wel trouwplannen had en zo.

Ik draaide me om. De broer van Patrick en zijn kameraad bleven staan. Ze keken elkaar gniffelend aan.

'Scheer jullie weg,' zei ik. 'De straat is voor iedereen.'

Meteen had ik spijt. Wat kinderachtig.

'De straat is voor iedereen,' aapte een van hen me na. Ze keken elkaar aan. 'Ha ha, dat is een goeie.'

Ik stond op het punt ervandoor te sluipen, maar nu nam mijn woede weer de overhand. Het kolkte in mijn aderen, zwart en dik als olie. Het kookte. Het pompte. 'Willen jullie ophouden?' zei ik met luide stem. 'Ik ben op zoek naar een weggelopen hond. Hebben jullie hem misschien gezien?'

Mijn stem kalmeerde. Nu praatte ik haast als een volwassen, zeer verstandig mens. 'Hij is klein,' zei ik. 'Lichtbruin met een rode riem.'

Patricks broer en zijn kameraad trokken een lang gezicht. Ze keken me aan alsof ze mijn woorden niet begrepen.

'Neee,' zei de kameraad na een poosje.

Patricks broer maakte een beweging met zijn hoofd. 'Kom,' zei hij. 'We smeren 'm.'

Ze draaiden zich naast me om, en aan hun voetstappen hoorde ik dat ze verder het voetpad opliepen. Ik keerde om. Mirakels, wat had ik gedaan? Ze weggejaagd, lek gestoken, ongelooflijk. Ik, Juist Jensen, was niet weggeslopen, ik was niet als een geslagen sint-bernard tussen de varens gekropen. Nee, nu gingen mijn plaaggeesten ervandoor. Ik zag hoe ze in hun hippe spijkerbroeken naar de parkeerplaats sjokten.

En toen zag ik het. Een dunne, rode slang kronkelde tussen de struiken. King! De lelijkste hond van de wereld. Ik

zette het op een rennen en toen de riem zich om een jene-
verbesstruik heen snoerde, zette ik mijn voet erop. Swoep. Ik
heb je, King. Ik hoorde een schrapend keelgeluid. Hebbes.
Hebbes! Ik barstte zowat van blijdschap. 'Ik heb hem gevonden!' riep ik de twee jongens na.

Ze keerden zich niet om, maar dat kon me niet schelen.

14

In de lift omhoog dacht ik alleen maar aan Helene. Wie was ze? Waar woonde ze? Kende ze iemand in het flatgebouw? Of was ze misschien hierheen verhuisd?

Ik moest het aan mevrouw Bolat vragen.

Maar eerst moest ik de normale vragen beantwoorden. 'Heeft King lang gedaan?'

Eerlijk gezegd wist ik het niet. Misschien had hij gepoept terwijl hij op de vlucht was. Het leek me het beste mevrouw Bolat niets te vertellen, dus zei ik voor alle zekerheid ja.

'Jij regelt het wel, Juist,' zei ze en streelde mijn wang. 'Een echt gentlemannetje ben je.'

Gentleman, dat klonk mooi. Engels en midden in de roos voor iemand die prof in de Engelse voetbalcompetitie wordt.

Ik moest Helene in dat geval meenemen, naar Manchester, en aan de fanclub vertellen dat andere meisjes dat gedoe met bikini's en foto's wel konden vergeten.

Ik vroeg mevrouw Bolat of er iemand nieuw in het gebouw was komen wonen. Dat wist ze niet zeker, maar op de vierde verdieping had een appartement te koop gestaan.

'Hier recht boven?' vroeg ik en probeerde me de voeten van Helene boven mijn hoofd voor te stellen. Blootsvoets, net uit bad en roze als marsepein. Misschien kon ze tap-dansen? Misschien kon ze in morse seinen? Misschien kon ze morsesignalen naar me tapdansen als we elkaar leerden kennen?

'Nee maar, Kingjonkie van me!' hoorde ik mevrouw Bolat uitroepen.

In de hoek van de keuken zat King ineengedoken en was druk bezig met persen. Dat was vlak voordat de bruine keutels als kastanjes op de vloer knalden.

Mevrouw Bolat plaatste haar armen in haar zij. 'Hij heeft vast iets verkeerds gegeten,' zei ze nors. 'Twee keer lang op één dag!'

Ik stopte de munt van twintig kronen in mijn zak. Die was niet helemaal verdiend. Maar je ontmoet toch ook niet iedere dag de vrouw met wie je gaat trouwen.

Toen ik thuiskwam, zat papa op me te wachten. Nee, hij zat niet, hij rende in het rond en ging met tussenpozen zitten.

'Nu zul je vast teleurgesteld zijn,' zei hij en vloog de keuken in.

Hij kwam weer naar buiten met een schaal pinda's. 'Alsjeblieft.'

'Wat is er dan?' vroeg ik ongeduldig.

Mama had toch niet besloten om ook een kookboek van China te gaan schrijven? Of was er iets met het voetballen?

Ik keek papa verontwaardigd aan. 'De scheidsrechter heeft toch niet gebeld?'

'Wat?'

'En gezegd dat een van mijn doelpunten geannuleerd is?'

Papa keek me vreemd aan. 'Nee,' zei hij. 'Maar Tweemeter komt morgen niet.'

'Wat?'

Ik raakte helemaal verward. 'Maar hij zei dat hij wel zou komen. Ik kwam hem bij de wedstrijd tegen.'

'Er is iets gebeurd,' zei papa en begon zelf de pinda's te eten. 'Hij is vast en zeker in een soort van shock.'

'Is hij van zijn fiets gevallen?' vroeg ik.

Daar wist papa niets van en hij zag er heel gestresst uit, want nu moest hij iemand anders zoeken om op me te passen. 'En dat op de avond ervoor!' klaagde hij.

Uiteraard had ik geen tijd om naar zijn geklaag te luisteren. Ik moest vragen in wat voor soort shock Tweemeter terecht was gekomen. In de telefoonklapper bij de pc, onder alle vriendinnen van mama, vond ik zijn nummer. Maar alleen het antwoordapparaat antwoordde. 'Hallo, u bent verbonden met Vertrouwd Adres - oppasdienst. Helaas kan ik de telefoon niet…'

Ik wist niets te zeggen na de piep. Niet meteen. Ik moest diep nadenken voordat ik een bericht had verzonnen en belde weer. 'Hallo, met mij, Juist, die zich dat van die shock afvraagt.'

Intussen had papa met zijn mobieltje Marianne gebeld.

'O nee,' kreunde ik. 'Niet Marianne.'

'Hou op met zeuren,' zei papa.

'Ik word misselijk.'

'Nonsens,' zei papa. 'Geen gesnotter.'

'Ik snotter niet,' zei ik en stampte op de vloer. 'Ik wil alleen niet Marianne hebben. Ze denkt alleen aan de wasmachine en vissticks. Ze is saai!'

'Saai!' brulde papa. 'Daar gáát het toch niet om! Je moet

iemand hebben om op je te passen en daarmee basta.'

'Zelf basta!' schreeuwde ik. 'Ik ga naar Japan.'

'Ik ga naar Finland!' schreeuwde papa.

Toen moesten we allebei lachen, ook al was ik behoorlijk chagrijnig omdat de zombie Marianne zou komen.

'Sorry,' zei papa en spreidde zijn armen, 'Het is niet mijn schuld.'

Ik had ook geen zin om Tweemeter de schuld te geven, vooral niet als hij een shock had.

'Wil je me mijn favoriete verhaal vertellen,' smeekte ik en viel papa om de hals.

'O nee. Alsjeblieft. Niet nu.'

Het leek wel alsof papa binnen één seconde grijs haar kreeg. 'Ik moet,' kreunde hij en begon rond te draven, 'een lezing houden voor driehonderd economen.'

'En als ik het verhaal dan verruil voor een slaapliedje en voorlezen op bed?' vroeg ik.

Daar kon papa niets tegen inbrengen en hij begon te vertellen. 'Het gebeurde in de tijd dat ik pas student was in de Verenigde Staten. Aan de universiteit waar ik studeerde bestond de traditie dat nieuwe studenten mee moesten doen aan allerlei vreemde wedstrijden en testen. Ik moest een trap oplopen met een marshmallow tussen mijn billen, je weet wel, zo'n zacht, roze ding, dat aan een meisjeskus doet denken.'

Ik knikte. Ik wist precies hoe ze smaakten. Hmmm, lekker. Vooral als ze gegrild werden.

'We moesten twee aan twee een lange trap oplopen,' ging papa verder. 'Eerst een Braziliaan en ik. De Braziliaan was een snelle jongen, maar halverwege de trap viel de marshmallow eruit. Daarna moest ik tegen een Amerikaan. Hij duwde de marshmallow ver naar binnen, maar struikelde op de trap. En daarna kwam er ten slotte iemand uit Alaska.'

Papa stopte en ik was blij. De man uit Alaska was mijn favoriet.

'Hij zat in het landenteam voor de honderd meter,' zei papa. 'En hij wilde alles winnen wat hij ondernam. Zelfs zonder broek een trap oplopen met een roze suikerdingetje tussen zijn billen.'

'Ga door!'

'Hij spurtte dus de trap op, in een razend tempo, terwijl hij uit alle macht zijn billen toekneep. Hij liep echter zo snel dat hij niet kon stoppen toen hij boven kwam. Hij liep recht tegen de muur op en kreeg een hersenschudding. Op dat moment viel de marshmallow eruit.'

'Werd hij gediskwalificeerd?' vroeg ik.

'Nee,' zei papa, en hij leek de driehonderd economen helemaal te hebben vergeten. 'Hij won, dat weet je toch, maar hij moest naar het ziekenhuis.'

Nadat ik in bed was gekropen, lag ik nog een hele tijd in de meiduisternis aan het verhaal te denken. Stel je voor dat Patrick en ik die wedstrijd hadden gedaan. Wat zou het fantastisch zijn geweest als ik als eerste boven was geweest. Zonder een hersenschudding.

15

Papa vertrok de volgende ochtend voor dag en dauw. Ik lag nog te slapen, en toen ik begrafenis-Marianne in mijn kamer hoorde schuifelen, dacht ik eerst dat het een nachtmerrie was.

'Half racht, half racht,' prevelde ze voor zich uit. Was ze nu helemaal getikt? Had ik niet tegen mama gezegd dat ze gevaarlijk begon te worden?

In een spookzweefduik was de bleke gedaante bij het rolgordijn en trok aan het koord. Er klonk een flinke slurp toen het gordijn omhoogging en zich om de stang heen rolde. Goede God. Ze joeg levenden en doden angst aan. 'Vijf over half racht,' ging Marianne verder met haar droefgeestige stem. 'Vijf over halfacht...'

'Acht?' zei ik stuurs.

Ze knikte naar me. 'Goedemorgen.'

'Goedemorgen,' mompelde ik en verlangde naar Tweemeter en zijn wekgitaar. Hij speelde meestal eerst vrolijke loktonen, en als dat niet hielp begon hij aan een zeer moderne compositie die De bliksem slaat in heette. Dan werd ik altijd wakker.

Ja, hoe was het eigenlijk met Tweemeter? Ik gleed uit bed, ik moest meteen bellen. De shock kon immers weer weg zijn. ' Hallo, u bent verbonden met Vertrouwd Adres - oppasdienst...'

'Hé,' zei ik na de piep, 'ik ben het. Juist. Ik maak me zorgen over de shock. Bel me alsjeblieft.'

'Is er een bericht voor mij?' riep ik toen ik uit school thuiskwam.

Maar er kwam geen antwoord. Ik liep het hele huis door op zoek naar Marianne. Ik vond haar ten slotte in het washok, waar ze met de rug naar me toe de gebruiksaanwijzing van de droogtrommel stond te lezen.

'Hoppa,' zei ze plotseling.

Ik schrok. Het was dus geen verbeelding van mijn kant. Ze werd dus echt gaga, zei zomaar hoppa. Toen rook ik het. De scheetlucht. Het stroomde me tegemoet als rotte koolraap, en echte dodemansscheet. Deed ze een aankondiging voordat ze een grote boodschap deed? Hoppa, hoppa.

'Oef!' zei ze en draaide zich om. 'Ik hoorde je niet.'

'Heeft er iemand gebeld?' vroeg ik.

'Nee,' zei Marianne en richtte zich weer op de gebruiksaanwijzing.

Het was natuurlijk niet haar schuld dat Tweemeter zweeg als het graf, maar ik had iemand nodig om chagrijnig tegen te zijn. Hou je winden binnen, dacht ik, dat had ik een jongen in de bioscoop namelijk horen zeggen tegen iemand die naast hem een wind liet.

Maar zoiets zeg je niet tegen een oude vrouw. Ik ben immers een gentleman.

Twee dagen lang probeerde ik contact te krijgen met Tweemeter. Telkens liet ik een berichtje achter op het antwoordapparaat. Ten slotte zei ik: 'Je bent toch niet dood?'

Ik wou alleen maar gek doen, maar toen ik het zei, werd alles zo onverwacht serieus.

'Je bent toch niet dood?'

Wat een enge vraag. Opeens bedacht ik me wat mevrouw Bolat een keer over toverij met woorden had verteld; dat wat je zegt, werkelijkheid kan worden.

'Kun je doodgaan aan een shock?' vroeg ik Marianne.

'Ja, als je een slecht hart hebt,' zei ze.

Slecht hart! Tweemeter kon dat onmogelijk hebben, hij had immers bijna net zo'n goede conditie als ik. Het enige waarover ik hem had horen klagen was een gevoelige grote teen, en overproductie van oorsmeer. Nee, een slecht hart had hij niet. Maar als de shock nu eens megagroot was geweest, een soort handgranaat die al zijn hartkamers had laten exploderen. Dat was beginnen te bloeden, een hartbloeding, en het bloed stroomde uit zijn keel, net als wanneer iemand in een film wordt doodgeschoten, en Tweemeter lag op de groene divan van zijn oma terwijl het bloed op de vloer sijpelde. Door kieren tussen de planken heen en vervolgens naar de leiding van de kroonluchter in het appartement eronder. Ja, Thomas had gezegd dat dat kon. In de auto naar de uitwedstrijd vertelde hij over een waargebeurde horrorfilm waarin iemands bloed van de ene verdieping in de andere was gelopen. Arme Tweemeter!

Er bestond geen twijfel. Ik moest naar de stad gaan. Ik moest naar zijn huis, hem zoeken. Want hoe moest dat volgende week met mijn voetbalwedstrijd? Als Tweemeter niet kwam, zou alles in het honderd lopen.

Kleine pissebed.

Ja, ik had Tweemeter nodig. Om te juichen. Om het ritueel uit te voeren. Om vaart in de elastische spieren te krijgen.

'Ik ga even naar de stad,' zei ik.

Maar toen schrok Marianne wakker, al het spookachtige verdween en met veel lawaai deed ze het ene keukenkastje open en wees op de lijst die aan de binnenkant was vastgeplakt. Haar vinger wees naar punt 4: *Mag niet alleen naar de stad.*

'Maar dit is een noodgeval,' zei ik.

De vinger van Marianne stond stijf tegen het papiertje. Ze drukte zo hard dat haar nagel een rode poepstreep kreeg.

'Dit heeft je moeder geschreven,' zei ze. 'En ik ben niet van plan om…'

'Het kan een hartbloeding zijn,' onderbrak ik haar. 'En Tweemeter heeft geen hond of hamster of iemand die alarm kan slaan.'

Hamsters zijn nu niet bepaald goed in blaffen. Maar zonder eten en drinken gaan ze dood, en de stank van hamsterkadavers, legde ik Marianne uit, zal elke buurman de haren overeind doen staan. 'Alsjeblieft,' smeekte ik.

Maar Marianne was niet te vermurwen. Geen sprake van.

Dan spijbel ik morgen, dacht ik.

Ik deed natuurlijk alsof er niets aan de hand was. De volgende dag smeerde ik mijn lunchpakket als altijd en pakte mijn tas.

Marianne merkte er geen sikkepit van. Ze was teruggekeerd naar het zweverige, en hing ergens in de woonkamer rond en wachtte waarschijnlijk op een spin die een afschuwelijke draad vanaf een lamp of een gordijnroe zou spannen.

'Da-ag,' riep ik met mijn normaalste stem.

Ik liep met heel gewone passen naar de kruising, sloeg de hoek om waar de bloemen van de vogelkers als witte kattenstaarten tussen de bladeren hingen. Snel klom ik over het hek, rende in kronkels door de tuin en wrong me door een paar struiken naar indianenland. Vanaf daar vlogen mijn benen verder naar het flatgebouw, het winkelcentrum en het metrostation.

Dit was spannend. Het was haast alsof ik in een film speelde. Ik zag kinderen met hun tassen de andere kant opgaan en hoopte dat niemand van mijn groep me zou zien. Net op het moment dat ik de trap naar het station af liep, zag ik mensen de deuren van de metro binnenstromen. Ik zette een spurt in, had een polsslag van 120, minstens, maar ik besloot het als een training te beschouwen.

Pas toen ik ging zitten, bedacht ik me dat ik geen geld had. Shit. Ik was zo druk geweest om er gewoon en alledaags uit te zien voor Marianne dat ik helemaal vergeten was iets uit het spaarvarken te peuteren. Voor alle zekerheid vouwde ik mijn handen. Lieve God, dit is een belangrijke opdracht. Een man kan sterven. Laat er geen kaartjescontrole komen.

Ik stapte uit op het stationsplein en liep verder om tram nummer elf te nemen. Een vrouw die heel veel op Fatima leek, zat schuin tegenover me. Ik nam geen risico om een onbeleefde indruk te maken na die gratis kerstcactus, dus groette ik haar twee keer. De vrouw die Fatima kon zijn, glimlachte beide keren, maar de laatste keer ontdekte ik dat ze aan de rechterkant een gouden tand had. Dan is het toch niet mijn Fatima. Vervelend, want zij zou misschien iets over de shock van Tweemeter hebben geweten.

Ik stapte uit midden tussen het park en de kerk, en toen ik het omheinde erf van Tweemeter zag, leverde een vrouw een gevecht om een zware kinderwagen door de deur te krijgen. Eén, twee, drie kinderen. Als twee druppels water. Een drieling. Twee aan de ene kant en één er midden tegenover, net als in een wagentje op de kermis.

'Bent u bij Tweemeter geweest?' vroeg ik.

De vrouw leek het niet erg op prijs te stellen dat ze aangesproken werd. Alle drie kinderen bogen zich uit de wagen. Ze leken op verlepte tulpen, behalve dat deze brulden, een vreselijk oorverdovend drielinggekrijs. Ik begreep wel dat ze een oppas nodig had.

'Is Tweemeter weer aan het werk?' vroeg ik.

Ze haalde haar schouders op. 'Begrijp niet waarover je het hebt,' zei ze. 'Ze hebben een driemeter in het Frogner-zwembad, als dat je kan helpen.'

Daarmee reed ze weg, en ik wist net op tijd de open deur achter haar binnen te glippen. Ik rende langs de afvalbakken en de geparkeerde fietsen, en deed een enorme spurt de trap op. Een shock was geen kleinigheid, elke seconde telde. Met een polsslag van ongeveer 130 drukte ik op de bel van Tweemeter.

16

Ik kan goed tegen bloed, zei ik tegen mezelf.

Ik laat me niet van mijn stuk brengen.

Niemand in mijn familie valt flauw als hij bloed ziet. Dat is erfelijk. Het zal prima gaan.

Opeens ging de deur op een kiertje. Maar een paar centimeter. Was ik bij de verkeerde deur? Alleen oude dametjes maakten toch zulke kieren als er werd gebeld.

'Tweemeter…' zei ik voorzichtig. 'Leef je?'

Op hetzelfde ogenblik werd de deur geopend. 'Juist?' zei Tweemeter, en hij zag er helemaal niet dood uit, alleen warrig en een beetje vuil, als een toiletborstel.

'Wat doe je hier?' vroeg hij en liet me binnen. 'Ben je niet op school?'

Hij droeg een modderkleurige ochtendjas met smalle, zwarte strepen. Zijn baardstoppels deden het voorkomen alsof hij grof schuurpapier op zijn kin had, een deel van zijn haar hing in een paardenstaart, een deel fladderde in slierten in het rond. Kon die lange, stoere Tweemeter echt zo verloederd zijn?

'Ik dacht dat ik je moest redden,' zei ik en keek nauwkeurig naar zijn borst. 'Je hebt toch geen hartbloeding?'

Tweemeter glimlachte, maar het was een vreselijk droevige glimlach. Het was zo'n glimlach die bijna kon gaan trillen en in huilen overgaan. 'Ik weet niet goed wat ik moet zeggen,' zei hij en slofte voor mij uit de woonkamer in.

Daar lag allerlei rotzooi. Strips, vooral Het Fantoom en Billy, plus kranten, kleren en chips. Op de divan van zijn oma lag een oude, pluizige slaapzak en minstens tien paar sokken, die alle kanten op waren gestrooid en vast geen gelijke paren zouden worden als hij ze bij elkaar zou pakken. Hier zou Marianne haar hart kunnen ophalen! De schrijftafel lag vol lege frisdrankflessen, en op de vloer stond de pc van Tweemeter met een soort diamant die de hele tijd uit elkaar spatte en dan weer in zijn geheel op het scherm verscheen.

Tweemeter boog zich voorover en zette hem uit. 'Sorry, Juist,' zei hij en plofte in een stoel. 'Ik had je moeten bellen. Maar ik was volkomen versuft.'

Versuft, ja, dat klonk ernstig.

'Maar de shock,' zei ik. 'Waar kwam die vandaan?'

'Signe,' zei Tweemeter en zweeg. Lang. Even dacht ik dat hij in coma was beland, maar toen zag ik dat hij met zijn ogen knipperde.

'Signe?' zei ik en voelde me opeens bang worden. Zij was toch niet…

'Ze heeft met me gebroken,' zei Tweemeter. Hij ademde zwaar. 'Ik ben helemaal van de kaart.'

'Getsie,' zei ik. 'Wanneer dan? Was dat voor of nadat ik een hattrick maakte?'

Tweemeter haalde zijn schouders op. 'Geen idee. De dagen zijn allemaal hetzelfde. Ze is verliefd geworden op een ingenieur!'

We zwegen allebei. Ik kende geen ingenieurs en wist niet precies hoe erg dat was. Maar ik kon aan Tweemeter zien dat het ernstig was. Normaal gesproken schitterden zijn ogen, maar nu waren ze volkomen mat. Het was alsof iemand ze eruit had gehaald en met een theedoek had afgedroogd.

'Nu moet je de handdoek niet werpen,' zei ik.

Ik begreep zelf niet helemaal wat ik bedoelde, maar Tweemeter begreep het duidelijk wel. Hij zuchtte en zag er nog verdrietiger uit. 'Nee hoor,' mompelde hij.

'Heb je wel een paracetamol genomen?' stelde ik even later voor.

Tweemeter schudde zijn hoofd. 'Niets helpt,' zei hij. 'Niet tegen liefdesverdriet. Helaas.'

Ja, helaas.

We zwegen weer.

Zo nu en dan streek Tweemeter met zijn hand over de baardstoppels, alsof hij ze naar buiten wilde trekken tot een volle baard. Als hij zich maar niet weer Frankenstein ging voelen!

O nee. Dat mocht niet. Hij was immers lang en stoer geworden en in zijn mantel leek hij op koning Haakon. Hij moest niet zo tegen allerlei dingen op gaan zien als toen hij jong was en zich opsloot en zich foeilelijk voelde. Ik barstte bijna in tranen uit. Wat was dit droevig. Ik had het gevoel alsof er steeds minder lucht in de kamer was. Zo meteen zou er niets meer over zijn. Het appartement van Tweemeter stond zo stijf van liefdesverdriet dat ik bijna kramp in mijn keel kreeg en in de stabiele zijhouding moest worden gelegd.

'Kom je volgende week naar de wedstrijd?' vroeg ik.

Ik probeerde Tweemeter optimistisch aan te kijken. Het zou immers kunnen dat ik weer een hattrick zou weten te scoren.

Maar Tweemeter dook alleen maar ineen in de ochtendjas. 'Sorry,' piepte hij. 'Ik heb nergens zin in.'

Op zijn borst verscheen kippenvel. 'Brr,' rilde hij en schuifelde om de boekenkast heen die de kamer in tweeën deelde. Nu gaat hij naar bed, dacht ik, maar in plaats daarvan begon Tweemeter onder alle dekens en kussens die daar lagen te woelen.

Hij haalde een oranje maillot tevoorschijn.

'De panty van Signe,' zei Tweemeter. Hij tilde hem op en snoof aan de stof. 'Onbegrijpelijk, niet, nog maar een paar dagen geleden waren we bij elkaar, heel gelukkig, half gelukkig in ieder geval, en dan komt ze iemand tegen met wie ze op het gymnasium heeft gezeten en die ingenieur is geworden. En toen sprong de vonk over!'

'Sprong de vonk over!' herhaalde ik.

'Ja, dat zei ze. De vonk sprong over! Helemaal kierewiet, niet?'

Ja, duidelijk, ik was het met hem eens, maar hoe zat het nu met Helene? Was dat toen ook geen overspringende vonk geweest? Ja, het vonkte een eind weg in de lift.

Oepsie. Alleen al de gedachte aan haar veroorzaakte de kriebels. Stel je voor dat ik erover met Tweemeter kon praten. Niet over dat gedoe met de dennennaaldenspray en het trouwen, maar een beetje anders, op zo'n superieure manier, zodat het niet al te belangrijk klonk. 'Zeg, Tweemeter,' begon ik. 'Weet je wat er gisteren is gebeurd?'

Maar Tweemeter kon vast niet antwoorden. Hij zag er volkomen afwezig uit. Hij wreef de panty van Signe over zijn wang heen en weer als een troeteldier. Toen begreep ik dat het ernst was. Echt ernst. Hij moest gered worden. Tweemeter had mij gered. Ja, verschillende keren. Hij was sneller met zijn voeten dan God en Jezus bij elkaar. Nu was het mijn beurt. Ik was maar honderdvierendertig en een half bij de laatste meting, maar ik was een god in het tackelen. Signe moest terugkomen. Koste wat kost.

17

Voordat ik bij Tweemeter wegging, moest hij me op één punt helpen. Ik gaf hem het absentieboekje. 'Kun je iets schrijven?'

'Wat dan?' vroeg Tweemeter.

'Dat ik vandaag ziek ben.'

'Welke ziekte heb je dan?' Tweemeters ogen begonnen opeens weer te glanzen. 'Heb je om mij gespijbeld?'

Hij drukte me in zijn armen. 'Juist, Juist, je bent echt een ware vriend in nood.'

Mijn hart zwol op. Een ware vriend, en zelfs in nood. Dat was toch vast tien keer mooier dan de gentleman van mevrouw Bolat te zijn.

'Niets te danken,' zei ik. 'Schrijf maar de bof.'

Toen lachte Tweemeter. 'Ik denk dat we het bij koorts of buikgriep laten,' zei hij. Op hetzelfde moment leek het alsof hij zich herinnerde dat hij liefdesverdriet had en voelde ik zijn arm om mijn schouders wegvallen. Signe, dacht ik. Hoe kun je zo lelijk tegen Tweemeter doen.

Zou je misschien op moeten passen voor meisjes? Vooral met die meisjes met wie de vonk oversprong?

'Zeg,' zei ik en boog me voorover om mijn veter te strikken. 'Heb je wel eens opgepast op iemand die Helene heet?'

'Helene,' zei Tweemeter en hij leek over de naam na te

denken. 'Helene, Helene.'

'Nee,' zei hij na een poosje. 'Ik geloof dat ik alleen iemand ken van wie de naam op a eindigt. De schone Helena.'

'Heeft ze lange oogwimpers?' vroeg ik.

'Dat had ze zeker,' zei Tweemeter en ging op de schoenenplank in de hal zitten. 'Ze was de mooiste vrouw van de wereld en in Troje voerden ze tien jaar lang oorlog over wie haar zou krijgen.'

'Tien jaar!' kreunde ik, maar Tweemeter had alweer een afwezige blik: het leek alsof hij weer zin had om de oranje panty te knuffelen. Het liefdesverdriet leek hem opnieuw te veel te worden.

Net toen de klok elf uur sloeg, stond ik weer op de stoep. Op school hadden de anderen wiskunde, maar ze moesten niet denken dat ik me gewoon had verslapen. Nee, ik had veel om over na te denken. Hoe kon ik het zo regelen dat Tweemeter en Signe weer een paar werden? De ingenieur vermoorden was niet aan de orde. Ik had immers een goed karakter, dat had mevrouw Bolat gezegd. Mevrouw Bolat, ja, zou zij me nu kunnen helpen?

Daar kwam de tram, lichtblauw als een parkiet, piepend op de rails. Hij stopte als op afspraak voor mijn neus. Ik stootte tegen iemand aan die naar buiten wilde, maar had geen tijd om me daarmee bezig te houden. Ik moest een oplossing vinden. Hoe zou ik Signe die lul van een ingenieur kunnen doen vergeten en liever…

Ik plofte op een zitplaats neer en we ratelden op weg.

Als er nu eens een wonder gebeurde, dacht ik.

'Hallo, jij daar…' zei een stem.

Een vrouw bewoog haar arm voor me op en neer. Hela en hallo. Ik had geen sikkepit gemerkt.

'Ja,' zei ik en keek op. O nee! Hel en verdoemenis! Ze was in uniform. Zo'n allemachtig echt uniform, met blauwe klep en pakje en Oslo Vervoersmaatschappij op de ene tiet.

'Mag ik je kaartje zien?'

Mijn kaartje. Ja, het kaartje.

Ik begon in mijn zakken te graven. Eerst in de ene. Toen in de andere.

'Dat was hier ergens…' begon ik.

'Dan is het er nu vast ook nog.' De vrouw trok haar controleursmond naar binnen.

Ik ging staan en probeerde mijn achterzakken.

'Ik begrijp er niets van,' zei ik en voelde dat ik bloosde tot achter mijn oren, die leken op gloeiende kooltjes. Lieve God, laat ze me geloven, ook al lieg ik, ik ben niet zo slecht als U denkt, ik ben alleen vergeten…

'Jaha,' klonk het uit de pruilmond. 'Het lijkt er niet op dat je het zult vinden. Je weet wat dat betekent.'

Betekent en betekent. Kon ze dat niet op een vriendelijker manier zeggen. Ze stond daar als een paal naast me, de tram schommelde en slingerde, maar ze stond alsof ze aan de grond was vastgenageld. 'Ik wil graag je naam en adres.'

'Van mij?' zei ik met een bonkend hart. Shit! Verdorie. Verdikkeme. Nu zou alles uitkomen. Dat ik had gespijbeld en naar Tweemeter was gegaan, die een valse getuigenis in mijn absentieboekje had afgelegd. Ik had minstens drie geboden overtreden, en hem in de zonde meegetrokken. Ik zou nooit meer toestemming krijgen om Tweemeter te zien.

'Boete,' riep de dame luid. 'Je krijgt een boete als je niet betaalt. Wat was je naam ook alweer.'

'Pa... Pa... Patrick,' stamelde ik.

De controleur stond met een notitieblok in de hand. 'En hoe verder?'

'Moflata,' zei ik.

'Jaha,' zei ze en wees op mijn tas. 'Kun je bewijzen dat je Patrick Moflata bent? Laat me iets zien waar je naam op staat.'

Het was alsof ik door een vleesmolen werd getrokken. Nu kwam ik in de tram terecht als dunne vleesreepjes. Hart, lever, longen en alles. Klaar voor de spaghettipan.

'Schiet een beetje op!'

'Nee zeg!' hoorde ik achter me.

Een dame met poedelkapsel en een heleboel lippenstift was opgestaan. 'U hebt zeker geen cursus voor glimlachen gevolgd,' zei ze tegen de controleur. 'Wat kost een beetje vriendelijkheid eigenlijk? U lijkt de Gestapo wel.'

Boing. De controleur stond niet langer vastgenageld, maar viel ondersteboven toen de tram stopte. 'Hier geldt voor iedereen hetzelfde,' riep ze. 'Als je geen kaartje hebt...'

'Dáár wil ik niet over discussiëren,' riep de dame met de poedelkrullen, 'het gaat om de aanspreekvorm...'

De controleuse pakte een stang onder het dak van de tram vast en het leek of ze zich als een liaan over het middenpad wilde slingeren. Op dat moment zag ik dat de harmonicadeuren opengleden.

In een kangoeroesprong was ik bij de trap. Zette af en

sprong verder. Goede God, Here Jezus, Tarzan en Tweemeter, waar was ik mee bezig? Ik vocht me door de rij mensen heen die naar binnen wilde. Stootte en duwde, en ging ervandoor, ja, ik ging ervandoor! Mijn benen stonden stijf van de elastische spieren, zoete spieren, soepel en vol conditie. Ja, nu voelde ik het, ik had conditie tot in mijn kleine tenen, en ik vloog, ik spurtte, iemand riep me, 'wacht, stop,' maar ik ging ervandoor.

Als je eenmaal bezig bent ervandoor te gaan, kun je dat het beste blijven doen. Ik rende tot ik bloed in mijn mond proefde, maar ik durfde me niet om te draaien, want als ze me nu eens achternazat? De controleuse. En de trambestuurder, als hij de politie nu eens had gebeld! De trampolitie! Speciaal getraind om oplichters in de kraag te grijpen. Als ze me nu eens inhaalden! Op volle snelheid, met honden die ook speciaal getraind waren om vluchtelingen te snappen, hun tanden in de achillespees te zetten en hem door te bijten. Nee, please. Niet mijn achillespees. Dan is het met mij als voetballer gedaan. Dan liever mijn meniscus.

Ik hapte naar adem en rende uit alle macht. Weg van de tramrails, steegjes in waar ik nog nooit was geweest. Ik botste tegen een fruitstalletje, maar krabbelde weer overeind. Om mij heen rolden tomaten en sinaasappels, maar ik kon niet stoppen, geen sprake van, ik moest ontsnappen, dood of levend. Ik zette een spurt in, maar kreeg op hetzelfde ogenblik een kokhalsneiging. O, wozes, o nee. Ik wierp me om een verkeersbord heen en liet het over me heen komen. Ik gaf over en door de lange kwijldruppels die richting asfalt hingen heen zag ik gelukkig, godzijdank dat niemand me volgde. Iedereen op de stoep zag er heel gewoon en rustig uit. Maar toen ik mijn hoofd een beetje bijdraaide, viel mijn oog op de groenteman. In een witte jas stond hij met opgeheven vuist naar me te dreigen.

Eigenlijk wilde ik teruggaan om het fruit op te rapen. Maar als hij de politie nu eens belde? Ik droogde mijn mond af en wankelde verder. Ik wilde alleen maar Tweemeter redden.

18

Ik liep de hele weg naar huis, en dat was een heel eind. Vreselijk, onbegrijpelijk, onverwacht lang. Het was nooit bij me opgekomen dat er zo veel heuvels tussen Tweemeter en mij lagen. Maar geen sprake van dat ik het risico nam om zonder kaartje te worden gesnapt. Tram, bus of metro. Nee, dank je. Ik moest het maar als training beschouwen.

Toen ik thuis de hal binnenviel, stond Marianne al klaar. Voordat ik mijn mond kon opendoen, had ze de braakselvlek op mijn trui ontdekt.

'Meteen in bad,' commandeerde ze. 'En meteen naar bed.'

Ze legde haar droge spookhand op mijn voorhoofd. 'Je hebt minstens 38,5,' zei ze. 'Vooruit, naar bed.'

Ik was te afgepeigerd om iets te zeggen. Het was alsof ik twintig voetbalwedstrijden zonder pauze had gespeeld, en nadat ik in bad drie liter limonade had gedronken, viel ik boven op de dekens in slaap.

Opeens stond ik met een badhanddoek om mijn middel. Ik moest trainen met marshmallows tussen mijn billen. Eerst kwam ik trainer Sven tegen. 'Loop het flatgebouw omhoog,' zei hij. 'Daar zijn zulke lange trappen.' Ik deed wat hij zei en stopte een witte marshmallow tussen mijn billen. Toen zag ik Patrick met een roos klaarstaan. 'De straat is voor iedereen,' zei hij en ik begreep dat hij met mij wilde wedijveren. Iemand schoot met een startpistool en we zetten het op een lopen, ik vooraan, Patrick achteraan. Ineens sprong hij de lift in, en ik begreep dat hij van plan was de boel te bedriegen. Ik rende verder de trappen op en toen ik bij de vierde verdieping aankwam, stond Helene daar. Ze glimlachte naar me, en ik werd zo blij dat de marshmallow eruit gleed. Op dat moment dook King op en at hem op. Maar dat deed er niet toe. Helene lachte en lachte maar. 'Ga naar mevrouw Bolat,' zei ze. 'Zij weet wel raad.'

Ik draaide me om in bed en bleef naar het plafond liggen staren. Shit. Ik deed mijn ogen weer dicht. Ik wilde verder dromen. De glimlach van Helene had als een hele melkweg geschitterd. O, kon ik maar weer wegzakken in dat magische beeldbad en met Helene wegzwemmen. Naast haar glijden als een sluierstaart. Hmm. In heerlijk, slaapverwekkend water, lekker wegzakken...

Ik was bijna weer in slaap toen ik Marianne in de deuropening zag staan. 'Bernhard?'

'Juist,' zei ik.

'Slaap je?'

'Juist,' zei ik nutteloos.

'Je moeder is aan de telefoon,' zei Marianne. 'Vanuit Japan.'

Ze zeilde spookachtig de kamer binnen en gaf me de draadloze telefoon.

'Hallo!' riep mama. 'Kun je me horen?'

'Ja.'

Haar stem veranderde, werd glad en honingzoet. 'Dag lieverd. Hoe gaat het? Marianne zegt dat je vandaag ziek bent. Wil je dat ik naar huis kom? Ik kan mijn vlucht omboeken. Heb je een paracetamol ingenomen?'

De honing begon te stollen, nu praatte ze meer en meer als een verpleegster. 'Nee,' zei ik, en ik voelde dat ik vanbinnen nog steeds duizelig en suf was door de droom. Jeetje, wat een glimlach! Helene kon heel Oslo opvrolijken.

'Neem er twee,' zei mama. 'En bel me terug als het erger wordt. Beloof je dat?'

'Ja,' zei ik.

Er klonk een enorm geraas in de telefoon. 'Oh dear!' riep mama. 'Excuse me. I'm so sorry.'

Ik hoorde een heleboel Japanse stemmen en mama die tegen mij schreeuwde. 'Ben je daar nog?' Toen legde ze neer en ik begreep er niets van tot ze nog een keer belde en vertelde dat de Japanse obers volkomen geluidloos waren. Mama had niet gemerkt dat het hoofdgerecht was gearriveerd voordat ze er met haar elleboog in had geprikt.

'Als het erger wordt,' zei ze, 'dan boek ik om en ben ik dinsdag weer thuis.'

Dat duurde nog vijf dagen. Ik drukte op het knopje van einde gesprek en stapte uit bed. Meteen verscheen Marianne. 'In vredesnaam,' zei ze, 'ga liggen. Ik pak de telefoon wel.'

'Ik moet gaan,' zei ik en trok een trui aan. 'Het is van levensbelang.'

Marianne knipperde met haar zombieogen. 'Laat me je voorhoofd voelen. En in je oor kijken.'

Ze hield niet op voordat ze dubbel had gecontroleerd met de oorthermometer.

'Je ziet dat ik geen koorts heb,' zei ik. 'Als papa belt, zeg dan dat ik bij mevrouw Bolat ben.'

Ik zette het op een lopen. Er was geen tijd te verliezen. Ik moest doen wat Helene gezegd had.

19

Op weg naar het flatgebouw besefte ik dat er vandaag geen tijd was om me met vroegere levens bezig te houden. Ik moest mevrouw Bolat te slim af zijn. Dat er spoed vereist was voor Tweemeter, daarover bestond geen twijfel. Hoe meer ik aan hem dacht, hoe duidelijker het me werd dat hij bezig was te creperen. Zijn hart was domweg zo loodzwaar van verdriet dat het niet meer in staat was om te kloppen. Was het misschien al te laat? Nee, vandaag zou hij het nog wel redden. Of toch niet? Stel dat Tweemeter al stuiptrekkingen had en doodging?

'Er is haast bij,' riep ik toen mevrouw Bolat de deur opende.

Ze week achteruit. 'Hemeltjelief! Heeft er iemand geroddeld? Is hij onderweg?'

Volledig in paniek sprayde ze dennennaalden recht op de spiegel, voordat ze de woonkamer binnenstormde waar King als een vorst op de bank lag te slapen. Binnen nul komma niks werd het noodplan in werking gezet en was hij in een koekdoos versierd met kerststerren gestopt. De doos met Deense boterkoekjes was hij duidelijk ontgroeid, maar ook deze was doorboord met luchtgaten. Toch gedroeg King zich alsof hij een frisdrankflesje in zijn keel had. Hij hijgde en jankte en huilde, en even dacht ik dat hij gemakkelijk met zijn nagels door het kerststerrenpapier naar buiten zou weten te dringen, net alsof het om een cadeaupapiertje ging.

'Zo, zo, zo,' troostte mevrouw Bolat, 'rustig maar, King-jonkie. Rustig, je mag er zo meteen weer uit.'

'Ik bedoelde niet de conciërge,' probeerde ik te zeggen, maar het was te laat. Het woord conciërge was het enige dat mevrouw Bolat hoorde, terwijl ze als een wilde in het rond vloog om met een borstel de hondenharen van de meubels te vegen. 'Als hij op de badkuip wijst,' hijgde ze en dacht daarbij klaarblijkelijk aan de plasplaats met takken en mos, 'dan ben ik geïnteresseerd in botanica.'

Het duurde minstens een kwartier voordat het misverstand uit de weg was geruimd. Ik probeerde te zeggen dat ik aan Tweemeter had gedacht, maar mevrouw Bolat was zo opgewonden dat ze dacht dat ik het over iemand op de eerste verdieping had.

'Er heeft niemand geroddeld,' zei ik, zo geruststellend als ik kon. 'Het punt is dat ik een vriend heb.'

Ik keek mevrouw Bolat aan om te kijken of ze mijn woorden begreep. 'Hij is helaas buiten bewustzijn.'

Mevrouw Bolat keek me met grote ogen aan. 'Wat doet hij daar in de woestijn?'

'Hij is niet in de woestijn,' zie ik gelaten. 'Hij is thuis, met een bloedende hartwond.'

'Nu heb ik volgens mij een opkikker nodig,' zei mevrouw Bolat.

Die opkikker bleek een melkglas vol bruine rum te zijn. 'Dit heb ik leren drinken toen ik als jonge telegrafist op de Caraïben voer,' zei mevrouw Bolat. 'Na verdrietige telegrammen nam ik altijd een eierdopje met rum.'

117

Nu was het eierdopje uitgegroeid tot een kwartliter, maar mevrouw Bolat ademde even later weer rustig, en King had de koekdoos verlaten. Eindelijk was er tijd om over Tweemeter te vertellen, die op de rand van de dood verkeerde en zich aan een panty vastklampte.

Ik hield niets verborgen. Ik vertelde precies hoe de vork in de steel zat; over Signe bij wie de vonk was overgesprongen, en over Tweemeter die alleen met kippenvel achterbleef. 'Die lul van een ingenieur had thuis moeten blijven,' zei ik. 'Dan zou Signe nog verliefd zijn op Tweemeter en was alles goed geweest. Nu heb ik een wonder nodig. En vrij snel ook.'

'Wonderen komen niet op bestelling,' zei mevrouw Bolat en glimlachte op een wat trieste manier. Na een aantal opkikkers leek ze niet meer op de toverheks. Nee, nu leek ze meer op een heel oude zangeres, die minstens vijftig jaar lang droevige liedjes had gezongen en een karrenvracht vol sigaretten had gerookt.

'Maar hoe krijg je die dan te pakken?' vroeg ik, nog steeds aan de wonderen denkend. 'Je vraagt erom, en als je geluk hebt, komen ze. Bijna net zoiets als lootjes trekken, toch?'

'Ni'hiks,' hikte mevrouw Bolat. 'Wonderen gebeuren als ze dat nodig vinden.'

'Waarvandaan?' vroeg ik.

'Van de machten,' zei mevrouw Bolat en ze zag er heel geheimzinnig uit.

'Van het onbegrijpelijke. Noem het de tribune van de goden, zo je wilt.'

Tribune. Dat klonk bekend. 'Zitten ze daar dan te kijken

als wij aan het spelen zijn,' vroeg ik, 'en af en toe bemoeien ze zich ermee door een wonder te sturen?'

Ik stond op het punt om over die eerste keer op de voetbaltraining te vertellen, toen mijn benen helemaal uit zichzelf het veld op waren gelopen. Maar voor ik zover was, opende mevrouw Bolat haar handtas en zei 'vergeet de wonderen maar, mijn jongen. In dit geval denk ik dat we heel aards moeten handelen.'

Het volgende ogenblik hield ze een glanzend bankbiljet in de hand. Vijfhonderd kronen! Wel heb je ooit! 'Wil je Signe betalen om weer naar Tweemeter terug te gaan?' riep ik.

'Nee, nee, absoluut niet.'

Mevrouw Bolat lachte en vandaag maakte haar gebit geen enkel geluid. Ze had vast een kleefpasta gebruikt en haar glimlach duurde extra lang. Opeens zag ik voor me hoe ze eruitzag met een lakriem en witte tennisschoenen toen ze destijds met meneer Bolat de wereld rondreisde en op stranden vol schelpen en negerinnen rum dronk. 'Nee, nee,' mompelde ze. 'Maar ik weet hoe aardig jonge vrouwen kunnen worden als alles weer in orde komt. Luister, mijn kleine gentleman, ik heb een plan.'

Ik vond het een heel ingewikkeld plan. Het ergste was dat ík moest zorgen dat alles op zijn pootjes terechtkwam. 'Als het me nu eens niet lukt,' klaagde ik. 'Als ze nu eens niet mee wil.'

'Dat risico moeten we nemen,' zei mevrouw Bolat. 'Maar ik voorvoel een edele inborst van jouw kant, Juist. Je wilt oprecht je vriend helpen?'

Ik knikte.

'Dan vind ik dat het een poging waard is,' zei ze.

Ze schoof het briefje van vijfhonderd over tafel naar me toe. Het was zo glanzend en stug dat het wel regelrecht van de bankpers in de portemonnee van mevrouw Bolat moest zijn gevlogen. In het midden schitterde het met bronzen, paarse en goudachtige tinten. Het deed denken aan borduursel en dunne gouden medailles. Ik deelde honderd door twintig en vermenigvuldigde het met vijf. Voor mij op tafel lagen vijfentwintig tochtjes met King.

'Hou de rest maar,' zei mevrouw Bolat. 'Als er tenminste iets overblijft.'

Ze knipoogde naar me. 'Maar niet op de wijn besparen.'

'Hoef ik niet terug te betalen?' vroeg ik. 'Met uitlaat-tochtjes?'

Mevrouw Bolat glimlachte. 'Als je vandaag een extra rondje maakt, zijn we quitte.'

Ze stopte. 'Maar ik wil je één ding zeggen.' Ze dreigde met haar wijsvinger en deed alsof ze kwaad was. 'Blijf bij de conciërge uit de buurt. Ik wil hem namelijk liever niet in de badkuip hebben, begrijp je.'

Toen lachte ze zo lang dat King van zijn fluwelen kussen opsprong en haar met zijn enorme knikkerogen aanstaarde. Mensen, dacht hij misschien. Bofkonten, ik kan niet eens glimlachen.

20

Voordat ik die avond naar bed ging, belde ik Tweemeter. Ik wilde hem een beetje opvrolijken. Hem hoop geven, want nu had ik, Juist Jensen, de bal. De goden zaten op de tribune toe te kijken terwijl ik naar voren dribbelde om te...

'U bent verbonden met...'

O, wat haatte ik dat geluid. Antwoordapparaten waren een plaag. 'Nu moet je goed luisteren,' zei ik na de pieptoon, ik klonk waarschijnlijk behoorlijk geïrriteerd. 'Want morgen kom ik met Signe naar je toe.'

Ik legde neer, en moest nog een keer bellen. 'Ruim op,' zei ik. 'In ieder geval de sokken op de divan van je oma.'

Dat klonk streng, dus belde ik voor de derde keer. 'Rustig aan maar, Tweemeter,' zei ik. 'Ik heb vijfhonderd kronen. Ik was het varkentje wel.'

Vlak voor ik in slaap viel, zag ik Signe voor me. Haar sproetige, vrolijke gezicht en haar tanden die op kleine, regelmatige vierkante tegels van krijtwit marmer leken. Zou ik haar kunnen vinden? Wist ik nog waar ze woonde? Ja, vast wel. Ik was er verschillende keren met Tweemeter geweest als we een eindje gingen fietsen. Ze zou vast niet voor een uitje naar een restaurant bedanken. Ze zou immers de hele fles wijn alleen op kunnen drinken.

Het had geen zin om Marianne over het plan te vertellen.

Maar ik moest wel een excuus hebben om naar buiten te gaan. 'Ik moet een oefenwedstrijd spelen,' zei ik.

'Behoorlijk ver weg. Dus moeten we lang rijden. Misschien dat we daarna nog een toernooi hebben.'

Marianne was niet bepaald enthousiast. Ze vond dat ik nog niet helemaal weer hersteld was na die geheimzinnige braakselvlek, maar ik hield voet bij stuk en zei dat ik alleen maar invaller hoefde te zijn en misschien helemaal niet op het veld zou komen te staan.

'Dan kun je net zo goed thuis blijven,' zei ze.

Ik kreeg het zweet op mijn voorhoofd. 'Ben heeft de bof,' zei ik. 'Misschien dat ik even in het doel moet staan.'

O lieve deugd, dat waren een heleboel leugens bij elkaar. Maar ik moest toch iets verzinnen. Als ik Operatie Tweemeter niet startte, zouden hij en ik voor de rest van ons leven ongelukkig kunnen worden.

Ik kon beter met oma over al deze leugens gaan praten als ik in de zomervakantie bij haar was. Zij weet heel veel over God en wat hem blij maakt en wat hem ontevreden maakt. Papa vindt het niet fijn als we over Jezus en God praten, dus moeten oma en ik dat stiekem doen, zoals ze dat vroeger in Rusland ook moesten.

'Opa heeft ooit bijbels gesmokkeld,' zei ik opeens tegen Marianne. 'Voordat hij doodging, dus.'

'Zo,' zei Marianne en leek nu niet bepaald onder de indruk. Maar nu dacht ze vast dat ik de waarheid sprak, met een echte bijbelsmokkelaar in de familie. 'Je moet na afloop meteen naar huis komen,' zei ze.

'Ja,' zei ik. 'Dat beloof ik.'

Toen ik van huis vertrok scheen de zon en was de hemel zo blauw dat mijn ogen bijna pijn deden. Op de bagagedrager had ik de trainingstas; aan het stuur wapperde een roodwitte Manchester-wimpel die papa in Engeland had gekocht.

In mijn borst borrelde het van het lachen. Niet dat er iets bijzonders was om over te lachen, maar het was gewoon zo'n perfecte dag om liefdesverdriet uit de weg te ruimen. Tweemeter zou helemaal perplex staan. Signe krijgen in plaats van die oranje panty was toch wel het allerbeste.

Ik fietste in de hoogste versnelling, zowel voor als achter, en voelde dat de spieren in mijn dijen op springen stonden. In de tuinen stonden de appelbomen in bloei en honderden hommels en bijen zoemden in het rond en plaagden: 'Vang mij dan, vang mij dan, als je kan.' Maar er was geen tijd om daar achteraan te rennen met een jampotje in de ene en het deksel in de andere hand. Het plan ging voor. Ik had zelfs een briefje van vijftig uit mijn spaarpot gepeuterd om helemaal zeker te zijn. Nu lag het gekreukelde briefje in de omhelzing van het grote, gladde biljet van vijfhonderd uit de handtas van mevrouw Bolat.

Ik fietste exact de route die ik met Tweemeter had gefietst. Langs het stadion, omhoog langs de grote, witte school, de heuvel op en daarna de weg in tussen de rode bakstenen huizen. 'Studentenkwartier' heette het hier, maar in welk gebouw woonde Signe? Ik was hier eerder geweest, ik had zelfs mariakaakjes gegeten in de keuken die ze met andere studenten deelde. Ook was ik op de wc geweest. Maar nu was ik heel onzeker. Alle gebouwen leken de goede te zijn. Ik moest het maar gewoon proberen.

Na vier mislukte pogingen kwam ik eindelijk bij een gang waar 'Signe' op een van de deuren stond. Godzijdank was ze niet verhuisd. Dan zou het moeilijk zijn geweest om haar te vinden.

Maar was ze thuis? Ik leunde tegen de deur. Van binnen klonk er geen geluid. Misschien sliep ze. Of misschien zat ze te studeren. Plotseling begon de telefoon op de gang te rinkelen. Het was een hels kabaal. De deur ging met een ruk open. Signe stormde naar buiten, met duizend kilometer per uur, recht in mijn gezicht. Shit, daar ging mijn neus.

Ik viel achterover. Hel en verdoemenis. Het was alsof ik een ijzeren stang recht in mijn snuffelerd kreeg. Het begon me te dazen, ik zag zon en sterren, ik was helemaal versuft en op vreemde planeten, en voor me zag ik het gezicht van Signe, die niet vrolijk was, zelfs niet vol sproeten, alleen een grote, witte cirkel met ogen. 'Je bloedt,' riep ze. 'Wacht hier!'

Opeens was het een drukte van belang in het studentenhuis. Iemand die arts wilde worden kwam naar buiten en kneep me midden op mijn neus, terwijl een ander met een stapel kerstservetten aan kwam zetten die hij onder mijn kin hield. Een Chinees stond toe te kijken, terwijl hij Chinees praatte met een ander die waarschijnlijk ook uit China kwam, maar die ik onmogelijk kon zien, want ik hield mijn hoofd achterover en in en flits zag ik de verduiveld grote hanger van Signe in rondjes boven mijn hoofd bungelen. Oei, wat klopte mijn neusbeen. Als ik maar niet op een bokser zou gaan lijken!

'Doet het pijn?' vroeg iemand.

'Ja,' antwoordde ik voor alle zekerheid, maar eigenlijk

voelde ik niet zo veel meer. Ik kon alleen niets ruiken, maar dat gaf niet, want nu had ik Signe gevonden die me de hele tijd over mijn voorhoofd streek en zei: 'Het komt wel goed, het komt wel goed, het spijt me zo, Juist, ik had geen idee dat jij daar stond.'

Ik werd op een bank in de keuken gelegd en kreeg een stapel oude kranten onder mijn hoofd. De vrouw die arts wilde worden en de anderen leken blij te zijn over mijn vooruitgang, en even later zag ik alle sproeten van Signe duidelijk als viltstiftpuntjes op haar huid. Hoewel mijn neus nu net zo gevoelig was als een blauwe plek, vond ik de tijd rijp om te zeggen: 'Wil je met me naar een restaurant, Signe?'

'Oehoeps,' zei Signe en ze begon te huilen.

Dat was het gekste wat ik ooit had meegemaakt. Moest je daar nu zo verdrietig om worden? Naar een restaurant! Was dat niet gezellig? Als ik nu gevangenis of crematorium of het riool in had gezegd, dan was het wat anders geweest. Maar een restaurant! Van het deftigste soort! Als er hier dan beslist iemand moest huilen, was ik het, die na afloop weer terug moest naar Marianne en over mijn beschadigde neus moest liegen.

'Neem me niet kwalijk,' zei Signe snuffend. 'Het was me een beetje te veel in één keer.'

Ze legde haar handpalm op de mijne. 'Maar hartelijk bedankt voor de uitnodiging, Juist. Dat was echt lief van je.'

Opeens glimlachte ze met al die prachtige tegeltanden. 'Wanneer was je van plan om dat te doen?'

'Nu,' zei ik en richtte me op zodat de kerstservetten alle

kanten opvlogen. 'Hm,' zei Signe. 'Ik zit eigenlijk op een telefoontje te wachten, maar...'

Ze beet op een van haar vingernagels. Leek heel erg in gedachten verzonken. O nee, ze mocht zich nu niet terugtrekken. Wat was een telefoontje vergeleken met een heel diner?

'Ja, waarom niet,' zei ze, alsof ze met zichzelf had overlegd. 'Maar waar zullen we dan heen gaan?'

'Ergens met wijn,' antwoordde ik. 'En kaarsen.'

21

Eerst stelde Signe voor om naar het studentenkwartier te gaan, waar een cafetaria was. Maar ik wist dat je in een cafetaria alleen kroketten en broodjes hamburger met een miezerige salade kon krijgen. Daar was geen sprake van. Bovendien moesten we in de buurt van Tweemeter zijn, dat was immers een deel van het plan. Als Signe een fles wijn gedronken had, zouden we regelrecht naar Tweemeters flat gaan, langs Ahmed en Fatima en dan naar de tweede verdieping. Ik hoopte dat hij had opgeruimd.

'We kunnen beter naar het centrum gaan,' zei ik. 'Daar zijn veel betere restaurants.'

Ik vond dat dit het juiste moment was. Ze moest niet denken dat ik haar mee wilde nemen naar een patatkraam, o, nee zeg. 'Waar zou je zin in hebben?' vroeg ik en zwaaide met het briefje van vijfhonderd kronen.

Signe viel bijna steil achterover. 'Maar Juist! Je moet je spaargeld niet aan mij besteden!'

'No problem,' zei ik in het Engels, dat vond ik nu passend.

Ik kreeg Signe maar nauwelijks mee, ze kreeg opeens zo'n vreselijke last van haar geweten vanwege de vijfhonderd kronen. Ja, ze werd zo ongewillig dat ik weer moest liegen. Ik vertelde dat mama en papa op reis waren (dat was immers waar), en dat ze me geld hadden gegeven voor een gezellig etentje in een restaurant met iemand met wie ik graag uit eten wilde gaan. 'Ben heeft de bof,' loog ik vandaag voor de tweede keer. 'Dus daarom moet jij het worden.'

Dat waren met elkaar drie leugens. Plus de leugens die ik al had uitgesproken, was ik wel onbetrouwbaar geworden, maar ik kon haar toch niet vertellen dat mevrouw Bolat me het geld had gegeven. Dan zou het hele plan op tafel komen.

'Ik vind dit eigenlijk te gek,' zei Signe en streelde me over mijn wang.

'Nee, het is volkomen in orde,' zei ik. 'Kom, dan gaan we.'

'Dit betaal ik in ieder geval,' zei Signe toen we de metro instapten. Ze stempelde haar knipkaart ook voor mij en we vonden een vrij tweezitsbankje.

Buiten was de lucht hemelsblauw en ik dacht: dit is mijn geluksdag. Nu komen Tweemeter en Signe weer bij elkaar. Tweemeter wordt als een kind zo blij en omhelst me tot mijn ribben beginnen te kraken en maandag komt hij me toejuichen terwijl ik drie doelpunten recht in het net schiet. Jippie! Yeah! Hup, Juist, vooruit...'

'Kaartjes, graag.'

Ik richtte me op en zag dat Signe de knipkaart liet zien. Maar verrek... Ik voelde mijn maag ineenkrimpen. Zíj was het! De pruilcontroleur. De vrouw met Oslo Vervoersmaatschappij op haar tiet en boete op haar notitieblok. O please...

Ik keerde me naar het raam. Als ze me maar niet herkende. Na al dat bloed uit mijn neus was ik toch behoorlijk veranderd. Daarnaast zag ze dagelijks duizenden gezichten. Please. Lieve God, lieve...

'Jij daar!' hoorde ik.

Ik staarde stijf naar het landschap. Huizen, omheiningen, volgende station *Vestgrensa*.

'Hé, jij daar,' hoorde ik weer.

'U ziet toch dat ik voor twee personen heb gestempeld,' zei Signe. Ze klonk flink geïrriteerd.

'Patrick Moflata,' zei de vrouw. 'We hebben nog iets te bespreken, niet?'

'U hebt het mis,' zei Signe. 'Hij heet geen Patrick.'

O lieve God, piepte ik vanbinnen, vergeef me mijn leugens. En wees zo vriendelijk om...

Een hand kneep in mijn bovenarm. 'Je hoeft je niet van de domme te houden,' zei de controletrol. 'Ik herken je, en deze keer kom je met me mee.'

Met je mee? Liever het graf in, dacht ik. Liever een vampier op mijn hielen of walsen met een zombie. En wat dan met het diner, als ik zo vrij mag zijn? Als je een dame mee uit hebt gevraagd, kun je er niet zomaar vandoor gaan.

'Je gaat mee naar het hoofdkantoor,' bulderde ze. 'Daar wachten we tot je ouders komen betalen.'

O Here God. Papa zou pas over vier dagen thuiskomen en mama...

'Ik meen het,' zei de controleuse. 'Je wilt toch zeker niet dat we de politie inschakelen?'

'Nee, toe zeg!!!' schreeuwde Signe. Ze sprong op van haar zitplaats en was bezig flink nijdig te worden. Ze ontplofte bijna, haar gezicht was zo rood dat Kuala Lumpur daarbij vergeleken in het niets zonk. 'U hebt het mis!' riep ze. 'Begrijpt u niet dat zijn naam...'

Signe hield haar mond en keek me aan. 'Bertram...?' zei ze vragend.

En een beetje zachter: 'Wat is je doopnaam, Juist?'

Ik begreep dat ze me probeerde te helpen, maar het was te laat, ik was al vreselijk aan het trillen. De politie? O, nee. Ik, die al hartkrampen krijg als ik een politieauto zie. Ik word misselijk en laat mijn vlaggetje hangen als ik ze te paard zie op de nationale feestdag. Ik kan me niets ergers voorstellen. Toen ik klein was, huilde ik als papa een lichtblauw overhemd droeg. Ik heb een politiefobie. Ik kon nog maar één ding doen.

'Hoeveel kost het?' vroeg ik. Het leek alsof mijn stem in krantenpapier verpakt zat.

'Vijfhonderd!'

Ik grabbelde naar mijn portemonnee. Het was om te huilen. Het was om te creperen. Dat krankzinnig mooie briefje van vijfhonderd van mevrouw Bolat. Nu zou hij in de keel van de wurgslang van Oslo Vervoersmaatschappij verdwijnen. Getderrie, wat onrechtvaardig.

'Bedankt,' zei de dame en stopte het briefje in een uitpuilend dikke portemonnee. Die was zwart en leek op een echte maffiaportemonnee. 'Alsjeblieft,' zei ze en overhandigde me een kwitantie, maar wat moest ik daarmee? Ik had nu nog maar vijftig kronen over. Dat zou dus toch een frietkraam worden.

22

'Het geeft niet,' zei Signe toen we op het stationsplein uitstapten.

Ik schaamde me zo dat mijn benen me bijna niet konden dragen. Ze leken van een misdadiger te zijn met wie ik niets te maken wilde hebben.

'Ik heb een bankpasje,' zei Signe. 'We kunnen samen een pizza eten, als je wilt.'

Maar hoe moest dat dan met de wijn! En de kaarsen waar mevrouw Bolat zo hartstochtelijk over had gepraat. Je wordt toch niet weemoedig van pizza met ham en kaas! Nee, mevrouw Bolat zou haar gebit op de vloer laten vallen van teleurstelling. Nu viel het hele plan in duigen.

'Kijk niet zo sip,' zei Signe. 'Gepakt worden kan de beste gebeuren, Juist. Ik heb minstens zeven parkeerboetes op mijn geweten.'

Ik bleef staan. 'Echt waar?'

'Ja,' lachte Signe. 'Ik moest mijn auto verkopen. Ik kreeg aan een stuk door boetes.'

Dat zou ik nooit gedacht hebben! Stel je voor, zeven boetes krijgen en dan toch lachen. We stonden midden op de stoep in de drukte, om ons heen renden en stressten mensen, ze vlogen voorbij, met gesloten gezichten als bankkluizen, en opeens begreep ik waarom Tweemeter van Signe hield.

'Signe,' zei ik. 'Kun je niet met Tweemeter trouwen?'

Nu ik zo veel had gezegd, moest ik de rest haast ook wel vertellen. En dan kon ik net zo goed alles zeggen. Over de oranje panty en mevrouw Bolat en Patrick die me plaagde met een short waarin ik niet had geplast, en Tweemeter die een doffe theedoekblik had gekregen en die de telefoon niet opnam, maar alleen maar aan kippenvel en pijn in het hart leed.

'Een ogenblik,' zei Signe midden op de kruising met verkeerslichten. 'Eén ding tegelijk.'

Ze trok me het voetpad over naar een kleine kiosk in de winkelstraat. Daar betaalden we elk vijftig kronen en aten een pitabroodje met Arabische vulling en dronken limonade. Duiven poepten op de rode bakstenen vloer beneden ons.

'Het is mooi dat je je zo betrokken voelt,' zei Signe. 'Maar ik heb nu een nieuw vriendje, weet je.'

'Zou het met wijn ook niet gelukt zijn?' vroeg ik.

'Betwijfel ik,' zei Signe. Ze boog het hoofd achterover en liet een lange sliert van een chilipeper in haar mond glijden.

'Brr,' zei ze even later. 'Die was sterk.'

Ik gaf het laatste korstje van het pitabroodje aan de duiven en voelde me volkomen machteloos. Hoe kon ik die ingenieur met de noorderzon laten vertrekken? Hij was immers niet meer dan een zuchtje wind, had mevrouw Bolat gezegd toen ze me het briefje van vijfhonderd had gegeven. In een zuchtje wind hoefde je niet zoveel te investeren.

'Vind je hem de moeite van het investeren waard?' vroeg ik.

'Wie?' zei Signe.

'De ingenieur,' zei ik.

Signe zweeg.

'Hij is toch vast niet zo groot als Tweemeter? En niet zo leuk?'

'Tja,' zei Signe. 'Hij is ongeveer een meter tachtig en...'

'Een meter tachtig,' riep ik. 'Dat is toch niets! Dat is niets voor jou, Signe.'

'Maar ik ben maar éénzesenzeventig.'

'Is niet belangrijk,' zei ik. 'Hij is veel te klein.'

Even leek Signe in gedachten verzonken, maar ik had toch het gevoel dat het niet helemaal ging zoals ik me had voorgesteld. Als ik maar een paar ingenieurs had gekend, dan had ik iets lelijks over hen kunnen zeggen. Iets waardoor ze de zin in hem verloor, net als wanneer je een reuzenhonger hebt en dan de deur van de koelkast opent, waarna je recht in de korst van een stuk jonge kaas met groene schimmelvlekken kijkt.

'Ken je Peter Pan?' vroeg Signe opeens.

Jazeker. 'Hij komt iedere kerst,' zei ik. 'En roept "I can fly, I can fly" met Tinkelbel en glitterstrooisel en zo.'

Signe keek me sceptisch aan.

'Op kinder-net,' zei ik. 'Een Disney-film.'

Ze knikte. 'Op kinder-net, inderdaad. Je weet toch dat Peter Pan de jongen is die niet volwassen wil worden?' zei Signe achterovergeleund op haar stoel, alsof ze ineens van plan was een heel verhaal te vertellen. 'De jongen die jij

Tweemeter noemt, heeft een Peter Pan-complex,' zei ze kwaad. 'Hij doet maar wat. Dan hier en dan daar met die kinderen op wie hij moet passen en zijn strips en... en... vroegere vriendinnen!'

Ik dacht opeens aan het meisje met de melksnor. 'Bedoel je Mirjam?' vroeg ik.

Signe schrok op: 'Ken je haar? Hè? Hoe dan? Heeft ze bij jullie overnacht?'

Toen begreep ik dat ik alles moest vertellen. Over de sleutel van de gymzaal en de saaie cafébezoekjes, en over mezelf dat ik me uit de naad moest trainen voor de start van het seizoen.

'Maar het was geen verspilde moeite,' kon ik haar geruststellen. 'Ik heb een hattrick gescoord.'

Signe zag er eigenlijk meer verward dan geïmponeerd uit, maar ik voelde dat ik een kans maakte. De goden zaten zeker op de tribune toe te kijken. 'Aardig spel,' riepen ze tegen elkaar. 'Kijk die Juist eens, nu heeft hij de bal. Kijk, daar komt hij, vol kracht, haalt uit met een lang schot en daar...'

'Kom,' zei ik en stond op. 'Tweemeter wacht op ons.'

23

We namen de tram naar Tweemeter, en Signe gedroeg zich helaas alsof ze ontvoerd was.

'Denk je dat dit verstandig is?' zei ze iedere keer, en bij elke halte leek het alsof ze van plan was op te staan en uit te stappen.

Ik begreep dat ik haar op andere gedachten moest zien te brengen, dus vertelde ik haar maar iets meer over mijn hattrick. Ze was niet zo geïnteresseerd als ik had gedacht, maar ik zorgde ervoor om Tweemeter in de eer te laten delen.

'Hij is wereldkampioen juichen,' zei ik. 'Hij heeft een megafoon in zijn buik. Als mijn papa niet mijn papa was geweest, dan zou ik willen dat Tweemeter dat was. Heb je wel eens een hele stapel worstjes gegeten?'

Signe knikte, maar ze zag er wat nerveus uit. 'Misschien moet jij eerst gaan,' zei ze toen we de tram uitstapten. 'Of misschien moet ik alleen naar boven gaan.'

Opeens kreeg ik het ook benauwd. Als hij nu eens weer op het randje van de dood verkeerde. Als hij mijn bericht op het antwoordapparaat nu eens niet had gehoord en het huis bomvol havermout en vuile sokken lag en hij alleen nog maar in staat was om de panty tegen zijn wang te wrijven. Dat zou vervelend kunnen worden.

'Jaha,' zei Signe toen we op het erf bij Tweemeter stonden.

Ik keek omhoog naar de tweede verdieping. Je kon onmogelijk zien of daar iemand was. Misschien verwachtte hij ons helemaal niet. Als hij nu eens naar zijn oma in zijn geboortestad was gegaan. Nadat hij op haar divan was flauwgevallen, had hij misschien heimwee gekregen.

'Nou,' zei Signe weer. 'Wat doen we nu?'

Ze leek zich niet bepaald op haar gemak te voelen. Nee, ze wierp het haar een paar keer vreemd heen en weer. Dat deed ze anders nooit. Zou Signe luizen hebben? Zomaar opeens. Zou dat controlewijf in de tram een paar op het punt van uitkomen staande eieren van haar hoofdhuid op Signe hebben geschud terwijl ze net heel erg nijdig werd? Als straf. Wat een luizige daad!

'Heb je jeuk op je hoofd?' vroeg ik. Mijn halve kleuterschool had luizen toen ik vijf was, dus hier had ik wel verstand van.

Signe greep naar haar haar. 'Is het vet?' vroeg ze.

Ze boog voorover naar een autospiegeltje en begon het haar met de vingers in orde te brengen. Toen zuchtte ze en liet haar schouders hangen. Gaf Signe het op? Stond ze op het punt de benen te nemen? Nu moest ik snel zijn. Bestond er niet zoiets als een man van de daad?

Voordat Signe zich wist om te draaien, drukte ik mijn wijsvinger op de bel van Tweemeter.

'Ja, hallo!'

Hij antwoordde meteen, alsof de intercom regelrecht in zijn keel rinkelde.

'Wij zijn het,' zei ik. 'Signe en ik.'

'Wacht daar!' zei Tweemeter, 'ik kom.'

'Heb je dat gehoord?' zei ik en wendde me tot Signe. Ze knikte, maar ze leek niet erg gerustgesteld. Nu stond ze warempel weer op de nagel van haar wijsvinger te bijten. Volwassenen ook! Ze zijn behoorlijk kinderachtig.

Ze kon echter niet zo heel lang bijten, want met veel lawaai ging de deur open en daar stond Tweemeter. Was hij dat echt? Nee, ja toch. In Jezus' naam. Een man in een pak. Zonder baardstoppels en met iets langs en donkers in zijn hand. Haar!!! Wat in vredesnaam? Hij viel op zijn knieën en gaf het haar aan Signe. Was dat niet zijn paardenstaart? Ja, inderdaad. Helemaal afgeknipt.

'Ik zweer je,' zei Tweemeter, 'dat ik zal stoppen met het vertalen van Billy en Het Fantoom. Ik pak mijn studie weer op en probeer in de toekomst een vaste baan te krijgen.'

Hij legde de paardenstaart in Signes handen; ze stond met open mond toe te kijken. 'Ik zweer het bij deze paardenstaart.'

'Uhh.'

Voor de tweede keer die dag begon Signe te huilen. Ik begreep er steeds minder van. Plotseling viel ze Tweemeter om de hals zodat de paardenstaart uit elkaar viel en losse haren alle kanten op vlogen.

'Uhh,' zei ze. 'Ik bedoelde het niet zo.'

Ik begreep niet wat ze niet bedoelde, maar wat maakte het uit. Als mensen elkaar lang kussen, zodat het lijkt alsof ze iets in elkaars mond opeten, dan moeten ze wel van elkaar houden. Ik wendde me af. Het was heel gênant om naar te kijken. Als ik met Helene trouw, dacht ik, kus ik haar alleen maar op het puntje van haar lippen. Snel en voorzichtig als de vleugel van een vlinder, zodat ze niet breekt.

24

Tweemeter trakteerde me op drie bolletjes ijs met vruchten-
strooisel. Alle liefdesverdriet was in gruzelementen geslagen, nu leek het alsof hij net uit een geluksbad was gestapt.

'Juist Jensen,' zei hij zo af en toe. 'Mijn handlanger in de
liefde.'

En dan kuste hij Signe er weer op los. Ten slotte werd het
zoveel, dat ik eigenlijk blij was toen Tweemeter vroeg of het
goed was dat hij een taxi voor mij naar huis betaalde.

'Maar mijn fiets staat bij Signe,' zei ik.

'We vragen hem om daar langs te rijden,' zei Tweemeter.
'Ze hebben aparte standers voor fietsen.'

Eigenlijk had ik blij moeten zijn. Ja, eigenlijk had ik
moeten jubelen. Het was me immers gelukt. Maar toen ik
achter in de taxi ging zitten, voelde het alsof ik in een tank
werd weggereden. Hoewel ik enig kind ben en gewend ben
om alleen op de achterbank te zitten, leek deze taxi achterin
toch wel afschuwelijk groot. De chauffeur had blauwzwart
haar en volgens mij kwam hij uit een vreemd land, en misschien was hij eenzaam en werd hij geplaagd. En hoe zat het
met de ingenieur? Het drong ineens tot me door dat hij nu
alleen achterbleef. Ook al had ik hem met beschimmeld eten
vergeleken, op dit moment had ik eigenlijk een beetje
medelijden met hem.

'Hebben jullie vandaag verloren?' vroeg Marianne toen ik

thuiskwam. Ik herinnerde me mijn leugen. Oefenwedstrijd, toernooi misschien.

'Of we verloren hebben?'

Ik herhaalde haar vraag om tijd te winnen. Eigenlijk was ik het beu om nog langer te liegen, maar de waarheid vertellen durfde ik ook niet. 'Heeft mama gebeld?' vroeg ik daarom maar.

'Of papa?'

Marianne schudde het hoofd. Toen zette ik mijn trainingstas weg en ging naar mijn kamer. Uit de speelkist haalde ik die goede, oude Krokko tevoorschijn, mijn speelgoedkrokodil waarvan bijna alle naden waren gescheurd. Ik streek hem over mijn wang. Voelde de zachte stof die om de een of andere reden naar tekenpotloden en dekbedovertrekken rook.

Ik ging op de stoel bij de tafel zitten waaraan ik altijd mijn huiswerk maakte, terwijl ik Krokko over mijn wang bleef strelen. Ik was bekaf. Totaal volkomen afgepeigerd.

Een paar uur later, toen ik in de badkamer mijn tanden stond te poetsen, hoorde ik dat Marianne me vanuit de woonkamer riep.

'Bernhard!'

Ik had geen zin om antwoord te geven. Als er iemand belde, zou ze me vast de telefoon komen brengen. Maar er belde toch niemand. Wie zou dat moeten zijn? Krokko?

'Bernhard!'

Ik hoorde haar voetstappen op de trap en haar ademhaling die bij iedere stap zwaarder werd. 'Er is iemand voor jou,' zei ze buiten adem. 'Beneden. Buiten. Op de trap.'

Voor mij?

Ik liet de tandenborstel vallen en holde voor haar uit. Wie kon dat zijn? O, nee! Opeens begreep ik wat het was. Nu kwam de straf. Het was vast en zeker Patrick, hij had de boete per post gekregen. Patrick Moflata. Hij had begrepen dat ík het was, en... ik kreeg het ijskoud... had me aangegeven bij de politie. Stonden zij misschien daar beneden? Met handboeien en een herdershond. Oooo. Waarom had ik een valse naam opgegeven, zoiets gemeens. Nu werd ik misschien opgesloten. Kwam ik in de jeugdgevangenis. Was papa nu maar thuis. Of mama.

Ik draaide me om naar Marianne. 'Wie is het?'

'Geen idee,' zei Marianne. 'Ga maar kijken.'

Het was alsof ik een glimlach op haar bleke, meestal zo droevige gezicht zag doorbreken. Sorry, dacht ik, dat ik je een zombie heb genoemd.

'Schiet een beetje op,' zei ze. 'Anders gaat ze weg.'

Ze? Was het een meisje? Ik hield me aan de leuning vast. Wie kwam hierheen? Helene toch niet?

Ik bleef bewegingloos op de traptrede staan. Zou zij het kunnen zijn? Was er iets met King? Was hij bij mevrouw Bolat weggelopen en had Helene hem gevonden? Als ze iemand had gevraagd wie het baasje van King was, zouden ze waarschijnlijk hebben gezegd: die hond wordt altijd door een jongen uitgelaten en die woont daar.

Helene?

Ik rende de trap af. Door de woonkamer, de gang in, het portaal in.

Eerst zag ik alleen de bloemen. Een bos tulpen, in alle kleuren. Toen zag ik de glimlach daarboven. Groot en breed met een heleboel marmerwitte tanden.

'Ehhh,' zei ik. 'Ben jij het?'

'Ja,' zei Signe en gaf me het boeket. 'Ik weet dat het heel stom is om bloemen aan kinderen te geven, maar ik wist niet goed hoe ik het anders moest uitdrukken.'

Ze zette een plastic tas op de grond en sloeg haar armen om me heen. 'Bedankt voor wat je gedaan hebt.'

In haar ogen schitterde de zomer in de scherenkust. Het leek wel alsof ze in huilen zou uitbarsten. Bah, wat begint ze toch snel te janken. Ik huil bijna nooit, ik houd de tranen tegen vlak voordat ze uit mijn oog glijden. Dat is een speciale techniek, en het is heel goed dat ik die heb, want dan merken de anderen niet dat ik me rot voel. Maar Signe huilde vast ook van blijdschap.

'Deze heb ik ook meegenomen,' snoof ze en pakte de plastic tas. 'Eigenlijk was hij voor de verjaardag van mijn neefje bedoeld, maar…'

Ze tilde een voetbal op. 'Ik vind dat jij hem moet hebben voor wat je gedaan hebt.'

Ik kreeg de bal in handen, hij was helemaal nieuw, grijs en met een haast poezelig oppervlak. Ik liet hem in het rond rollen. En toen zag ik het. Met een blauwe balpen. Schuinschrift. Eerst een grote O. Grote genade! Jeetjemina. Was hij echt?

Ik keek Signe vragend aan.

'Vind je de handtekening mooi?' vroeg ze.

Of ik hem mooi vond? De handtekening van Ole Gunnar

Solskjær! Ik drukte de bal tegen me aan. Dit moest de geluksbal zijn. De wonderbal.

'Yeah!' zei ik tegen Signe. 'Yeah, yeah.'

Op hetzelfde moment sprong een gestalte uit de tuin te voorschijn. Een lange man in pak. 'Zullen we hem uit-proberen?' riep Tweemeter.

'Nee,' riep ik terug.

Hij stopte midden in een sprong.

'Ben je gek,' lachte ik. 'Hij is veel te mooi.'

25

De volgende dag moest ik de bal meenemen naar school, dat moest gewoon, in dezelfde plastic tas als waarin Signe hem had bewaard. Er konden immers vingerafdrukken van Ole Gunnar Solskjær op zitten.

Op weg naar school voelde ik al dat de bal mij moediger maakte. Nu zou ik gewoon op mijn plek gaan zitten en doen alsof er niets aan de hand was, en nadat mijn naam geroepen was, zou ik mijn hand opsteken en Truus vragen of ik de groep iets mocht laten zien.

Niemand zou toch lachen of drakerig doen om een bal met de handtekening van Ole Gunnar Solskjær?

Maar toen ik dichterbij school kwam, liet ik het plan om mijn hand op te steken, vallen. Ik zou alleen de plastic tas mee de les in nemen en daarna zou ik na een minuut of tien doen alsof de bal vanzelf naar buiten rolde. Dat zou mooi worden. Wie zou de handtekening het eerst ontdekken?

De les begon ermee dat Truus niet kwam. We hingen rond op de gang en zagen hoe de ene na de andere klas naar zijn lokaal ging.

Stel je voor dat we een invaller kregen. O, nee. Stel je voor dat we die vrouw met die bril en al die kettingen weer kregen, zij zou me vast geen toestemming geven om de bal te laten zien. Nee, zo'n megapech was toch niet mogelijk. Dit moest immers mijn geluksdag worden. Ik had een lijstje in mijn hoofd wie de bal het eerst mocht vasthouden, en ik had gedacht de klasgroep voor te stellen hem te gebruiken als er in de herfst op de sportdag een voetbaltoernooi zou zijn.

Waar bleef Truus nu?

'Zullen we naar de lerarenkamer gaan?' stelde een van de meisjes voor.

'O, nee,' riep iemand achter me. 'Dit is toch prachtig. Misschien krijgen we vandaag vrij.'

'Hé?' zei Thomas en stootte me aan. 'Zit daar een bal in die tas?'

Ik knikte. Maar geen sprake van dat ik hem nu wilde laten zien. Niet hier op de gang, in deze grote rommel. Niemand stond in de rij, iedereen liep maar wat rond en wachtte op Truus.

'Juist heeft een voetbal bij zich,' zei Thomas tegen de anderen.

'Hierheen!' zei Patrick the hattrick.

Ik keek hem aan. Wat bedoelde hij?

'Hierheen!' herhaalde Patrick. 'We doen een penaltywedstrijd.'

Hier binnen? Was hij betoeterd? Een aantal meisjes ging zo staan dat ze alles konden zien. 'Dat durven jullie niet,' zei iemand.

'Hè?' antwoordde Patrick. 'We gebruiken de deur als doel, makkelijk zat. Kom op, hier met die bal.'

Ik hield de tas steviger vast. Het plastic plakte tegen de huid op mijn arm. Wat een ellende. Die mooie bal die zelfs ik nog niet met mijn schoenpunt had aangeraakt, mocht

Patrick niet tegen de deur van het klaslokaal knallen. Nooit van mijn leven.

'Kom op,' zei Patrick en kwam dichterbij. 'Doe niet zo sloom.'

Ik schudde mijn hoofd en op hetzelfde moment sprong hij in mijn richting. Greep de plastic tas. 'Neee!'

Ik ging achter hem aan, maar Patrick dook weg. Grijnzend haalde hij de bal uit de tas. 'Neee,' schreeuwde ik weer, en voelde hoe mijn hart als een vensterglas werd gebroken. Daar stond hij met de bal te stuiteren als met een handbal. Bevuilde hem, speelde ermee.

'Pootje,' lachte Patrick, 'dan krijg je hem terug.' Hij liep achteruit terwijl hij de bal door liet stuiteren. 'Kom maar, flinke hond!'

Ik sprong naar hem toe, maar Patrick wurmde zich weg, pakte de bal onder de arm en zette het op een lopen. Ik krijg je wel, dacht ik, en merkte dat ik nu mijn tranen niet meer kon inhouden. Ik krijg je wel. 'Flinke hond,' hoorde ik terwijl ik me op hem wierp. Kreeg iets te pakken. Een trui. Verder naar beneden. Zijn been. Ik greep het vast en zette mijn tanden erin. Beet in zijn dij tot ik mijn tanden voelde kraken. 'Auuu!' jammerde Patrick. Hij probeerde me weg te schoppen, maar ik hing aan mijn tanden, liet niet los. 'AAAAAUUUUU!'

Nu brulde hij het uit en ik had niets door tot een vrouwenstem 'stop' riep.

Ik liet het dijbeen van Patrick los en ik proefde de vieze smaak van spijkerbroekenstof. Ik was versuft en mijn kaak was tegelijkertijd elektrisch.

'Kijk!' huilde Patrick. 'Hij heeft een gat gebeten!'

'Wat is hier aan de hand?' hoorde ik een vrouwenstem roepen.

Boven mij stond de invalster met alle kettingen. Achter haar stond de deur naar een ander klaslokaal open. Ze moet ons hebben horen schreeuwen. 'Wat een herrie!'

Ze trok me omhoog. 'Op die manier te vechten. Allebei hier komen, nu gaan we naar de rector.'

Ik was nog zo verdwaasd van wat er was gebeurd dat ik haar als een robot volgde. Achter ons stond de rest van de groep toe te kijken, en in de deuropening van het klaslokaal waar de kettingdame was geweest, stond een aantal zes-deklassers te gluren. Stel je voor, ik had Patrick the hattrick gebeten! Hinkend liep hij naast me. Trok met zijn been alsof hij opeens verlamd was. Maar toen we de trap naar de eerste verdieping opliepen, zag ik dat hij het zonder enig probleem kon bewegen. Waar is de bal? dacht ik opeens.

Ik draaide me bruusk om. 'Waar ga jij heen?' riep de ket-tingdame en ging achter me aan.

Maar ik was sneller dan zij. Achter in de gang stond mijn klas nog steeds op Truus te wachten. De bal lag tegen de ene muur met de handtekening naar boven. Niemand leek hem te hebben aangeraakt. Gelukkig, het schuine handschrift was nog net zo blauw als eerst. Ik plukte de bal op en klemde hem tegen mijn borst.

'Nu kom je hier!' hijgde de dame achter me, ze had vast geen goede conditie. 'Hoe heet je?'

'Juist,' zei ik. 'Jensen.'

'Houd me niet voor de gek, Jensen. Nu gaan we naar de rector.'

26

We moesten door de lerarenkamer om bij het kantoor van de rector te komen. De kettingdame liep met klikkende stappen en rinkelende kettingen naar de deur en klopte aan.

Eigenlijk had ik horen te trillen, de rector is bijna net zo eng als de politie. Er steekt een heleboel grijs staalwolhaar uit zijn neus en vroeger, toen je leerlingen nog mocht slaan, hing hij onruststokers aan hun nek aan de kapstok. Maar ik was niet bang, alles was nog zo onwerkelijk. Ik had Patrick the hattrick gebeten! Een beet met een kracht die King vast en zeker zou doen verbleken.

'O, neemt u me niet kwalijk,' hoorde ik de kettingdame in de deuropening zeggen.

Ze wendde zich tot ons en wees op twee versleten, tabaksbruine stoelen. 'Ga zitten!'

Patrick kreunde. Met díe gezichtsuitdrukking zou er gegarandeerd blessuretijd bij een wedstrijd komen, het scheelde niet veel of hij rolde op de vloer en klemde zijn dijbeen stevig vast.

'Nu wachten jullie hier,' blafte ze. Haar kettingen rinkelden en ratelden onder het praten. De rector was bezig, zei ze, maar als hij naar buiten kwam, konden we uitleggen wat er was gebeurd.

'Hij heeft me gebeten!' zei Patrick en keek me steels aan.

'Bespreek dat maar met de rector,' zei de kettingdame. 'Ik

moet terug naar mijn klas.'

Patrick en ik zaten elk aan onze kant van een tafel met halflege koffiekopjes en een krant. Geen van ons zei iets. Patrick keek af en toe naar de plek waar ik hem had gebeten. Verwachtte hij dat zijn been er ieder moment af kon vallen? Of dat er bloed uit zijn dijbeen zou spuiten?

'Bloed je?' vroeg ik.

'Zeker,' zei Patrick.

'Dan kun je hondsdolheid krijgen,' zei ik.

'Hè?' zei Patrick. 'Dat heb jij toch zeker niet? Dat hebben toch alleen honden?'

'Jawel,' zei ik en moest bijna lachen. 'Vooral sint-bernards.'

Hij gaf geen antwoord. Keek me alleen maar boos aan en op hetzelfde ogenblik ging de deur naar het kantoor van de rector open. De rector, Truus en een mevrouw kwamen naar buiten. Had ik die mevrouw niet eerder gezien? Haar bril leek met een zwarte viltstift op haar huid te zijn getekend. Was dat... ja, daar... daar... achter haar...

Mijn hart maakte een dubbele flikflak, ging over in handstand en naar beneden in spagaat. De VONK sprong over. Zíj was het! Van alle mensen op het aardse oppervlak, levende en dode, was zíj het! Ze stond daar in een rok met zonnebloemen erop en dezelfde gymschoenen als laatst. Jemig! Helene. De schone. Uit Troje of waar ze ook maar vandaan kwam. Daar stond ze, springlevend en keek naar mij... Herkende ze me?

Ze keek me recht aan, en ik voelde me inwendig uiteenspatten, werd bloedrood vanaf mijn nek, want gebeurde daar iets met haar mond, een kleine beweging, was dat een glimlach...?

'Hallo,' hoorde ik, de stem kwam van een ander continent. 'Zijn júllie hier?'

Truus richtte het woord tot mij.

'Wat?' zei ik en keek haar aan. Ze droeg als gewoonlijk haar joggingschoenen en zag eruit alsof ze klaar was om op de startstreep voor de honderd meter horden te gaan staan.

'Vroegen jullie je af waar ik bleef?' ging Truus verder.

Ik knikte verward.

'Ik moest...' zei ze en wees met haar hand naar Helene en haar moeder. 'Helene komt na de zomervakantie bij ons in de klas.'

In onze klas? In 5B?

Ik wierp een blik op Patrick the hattrick. Hij staarde alleen maar naar Helene. Zijn ogen rolden bijna uit zijn hoofd om in een van de koffiekopjes terecht te komen. Wat een gegluur. Ze is van mij, dacht ik. Weg jij, ik ga met haar trouwen.

'Heb je zin om mee te gaan om het klaslokaal te bekijken?' vroeg Truus.

'Ja, graag,' antwoordde Helene.

In minder dan een seconde stond ik op en Patrick stond haast net zo snel op. Zijn dijbeen was kennelijk zo goed als nieuw, en toen we door de lerarenkamer liepen, hinkte hij niet meer. Hij liep snel achter Helene aan. Ik deed een paar snelle stappen om hem in te halen, maar toen herinnerde ik me mijn lengte: honderdvierendertig en een half. Als ik iets verder naar achteren liep zou Helene misschien niet zien dat

Patrick minstens twintig centimeter langer was.

We liepen samen de trap af. Truus liep voorop en vertelde Helenes moeder een heleboel saaie zaken over hoe oud de school was en waar de verschillende spullen lagen. 'Hier is de bibliotheek,' zei ze en knikte naar een deur waar we langs liepen.

O, konden we daar maar naar binnen gaan, dacht ik, en de rest van de dag elkaar achternalopen om de boekenkasten heen. Alsmaar lopen, heen en terug, want alleen al de gedachte om bij Helene in de buurt te zijn maakte me volslagen duizelig. Nu was bijna weer het moment aangebroken dat ik in katzwijm viel en ik was bereid om haar naar de noordpool te volgen, als dat de plek zou zijn waar ze naartoe zou gaan.

Toen hield ze opeens haar pas in, en liepen Patrick en zij naast elkaar. De zonnebloemen wipten achterop haar rok. Keek ze nu naar hem? Maakte Patrick zich op om iets te zeggen? Ja, ik hoorde hem zijn keel schrapen. Ik deed een reuzenpas naar voren. Nu liep ik ook naast hen.

'Ehhh,' klonk het van Patrick. Probeerde hij iets te zeggen? Was hij bezig haar te versieren? Misschien dat hij een huwelijk met haar ook wel zag zitten. Wat zei Tweemeter ook maar weer: dat ik niet op moest geven voordat ik het had geprobeerd. Maar wat moest ik zeggen? Lieve God, lieve Jezus. Mijn handen, mijn oren transpireerden, de binnenkant van mijn hartkleppen transpireerden. Wat moest ik in vredesnaam zeggen?

'Ehhh,' zei ik.

Dat klonk haast als Bèèhhh. Ik crepeerde haast van

schaamte. Jij stomkop, knetterde het binnenin me, jij grote zak. Nu kon ik net zo goed het bijltje erbij neerleggen. Het beste. Misschien zien we elkaar in Manchester, als ik leer praten. Maar wat gebeurde er nu? Ze draaide haar hoofd naar... eh, draaide ze haar hoofd naar mij?

'Zeg,' zei Helene, 'heb je het baasje van de hond gevonden?'

Welke hond? Wat, waar, wie? De paniek sloeg omhoog tot in mijn hersenpan. Over welke hond had ze het? O, als Patrick nu maar niets over de sint-bernard zei.

King, bedacht ik me ineens. Godzijdank. De lelijkste hond van de wereld.

'Ja,' zei ik. 'Hij is van een vrouw op de derde verdieping.'

Jippie! Ik kon praten! Ik praatte als een normaal mens, en niet als een stokoude koe. Wat was er gebeurd? Plotseling leek het alsof mevrouw Bolat in gedachten naar me glimlachte. Ze knipoogde en zei: knipte er misschien een engeltje met de vingers in de lucht?

Nu waren we aan het eind van onze gang aangekomen. Buiten het klaslokaal stonden de anderen nog steeds te wachten. Ik had nog twee seconden voordat ik samen met de anderen naar binnen werd gedreven.

'Eigenlijk,' fluisterde ik half, 'zijn dieren in dat flatgebouw verboden.'

Ik keek haar aan. Begreep ze dat ze niemand over King mocht vertellen?

Helene knikte.

Toen liet ze haar wimpers zakken. 'Ik verhuis naar de vierde,' zei ze met een glimlach.